D1090690

ESTUDIOS DE SEMIÓTICA LITERARIA

INSTITUTO «MIGUEL DE CERVANTES»
DE FILOLOGÍA HISPÁNICA

ANEJOS DE REVISTA DE LITERATURA

40

MIGUEL ÁNGEL GARRIDO GALLARDO

ESTUDIOS DE SEMIÓTICA LITERARIA

Tendencias de la Crítica en la actualidad vistas desde España

CONSEJO SUPERIOR DE INVESTIGACIONES CIENTÍFICAS
MADRID, 1982

Cubierta: José M.ª Cerezo

Printed in Spain

I.S.B.N.: 84-00-05265-X
Depósito Legal: M. 41.029 - 1982

Imp. Taravilla (Suc. Vda. de Galo Sáez) - Mesón de Paños, 6 - Madrid-13

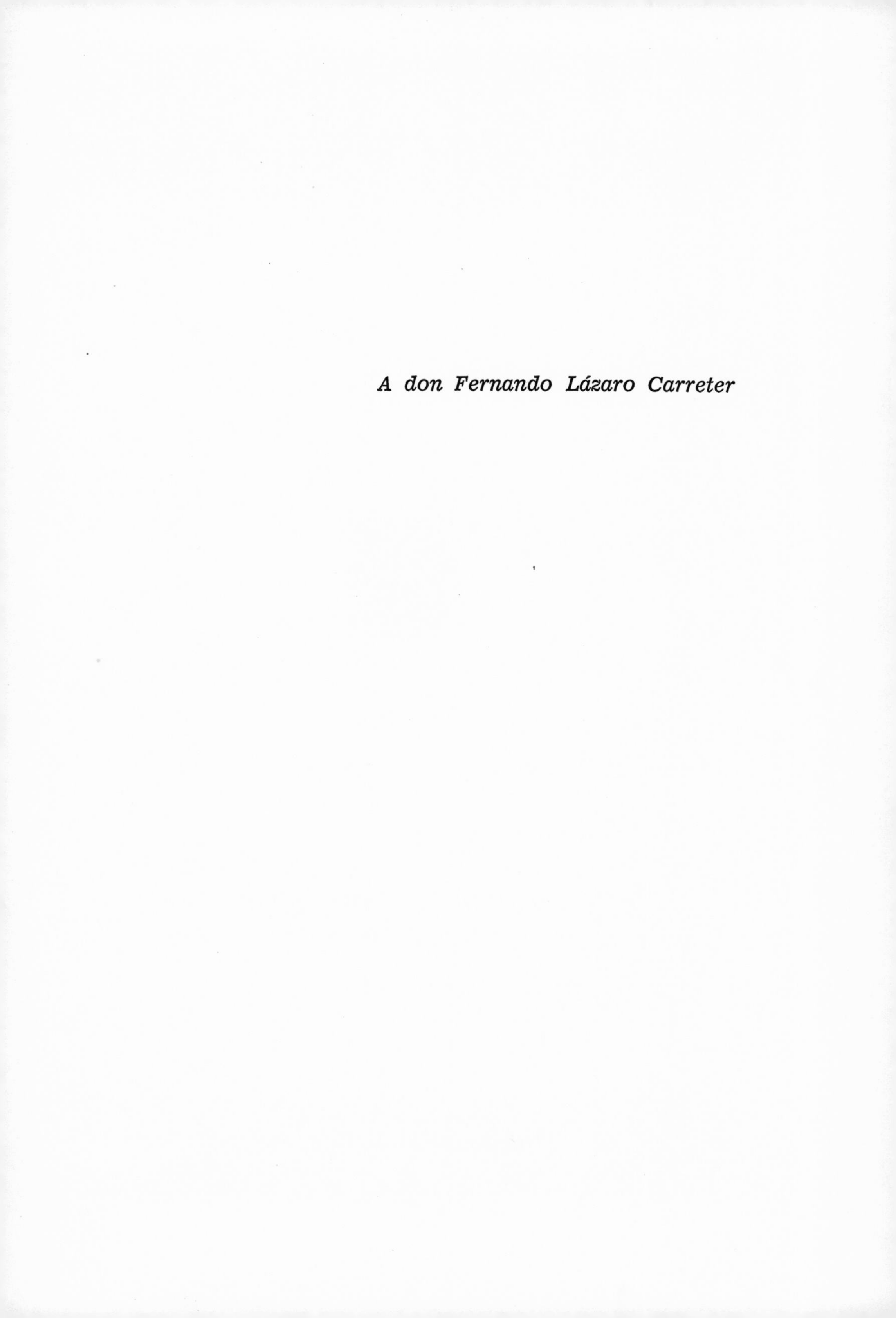

A don Fernando Lázaro Carreter

ÍNDICE

Págs.

Prólogo 13

Introducción 21

CAPÍTULO I

La Moderna Teoría Literaria en España (1940-1980) 27

CAPÍTULO II

Las Funciones Externas del Lenguaje 49

CAPÍTULO III

Sobre una Semiótica Literaria Actual: La Teoría del Lenguaje Literario 69

CAPÍTULO IV

Los Géneros Literarios 91

CAPÍTULO V

György Lukács: Literatura y Sociedad 129

Referencias 149

PRÓLOGO

Este volumen nace de una circunstancia ciertamente concreta. Cada año licenciados en Filología Hispánica que he tenido como alumnos en la carrera acuden a mí en busca de orientación acerca de determinadas cuestiones, invariablemente las mismas, sobre las que no hay una bibliografía hispánica, por decirlo así, suficientemente redonda. Las consultas terminan siempre con la recopilación de un elenco bibliográfico básico y unas cuantas fotocopias de unos trabajos en curso de elaboración dentro del proyecto sobre Los Métodos Actuales de la Crítica Hispánica que llevo a cabo en el Consejo Superior de Investigaciones Científicas.

Al reflexionar sobre este hecho, me ha parecido conveniente sacar a una circulación más general lo que ya estaba ofreciendo de modo más restringido y menos preciso. Se trataba, en consecuencia, de dar a la imprenta los referidos trabajos, pero... ¿todos?

La presentación en forma de libro exigía una cierta selección por mor de la coherencia interna. Si es verdad que los estudios ofrecidos como artículos de revista conocen una circulación mucho más restringida, también lo es que la recopilación puramente miscelánea suele defraudar al lector y puede despistar al especialista verdaderamente interesado por algunos de los temas incluidos en una de estas enumeraciones caóticas. Por otra parte, algunas de las orientaciones que más o menos alegremente ofrezco a mis alumnos (y sobre las que aconsejo cautela) no están en condiciones todavía de beneficiarse del fetichismo de la letra impresa. Hay, pues, que seleccionar.

La primera restricción realizada mira al concepto de literatura. Nos referimos aquí a textos de las lenguas (litterae) *que son, además, estéticos o, al menos, «de ficción».*

En efecto, el mundo de los artificios tejidos por el hombre («textos») va más allá de los mensajes codificados en una lengua natural cualquiera. A nadie llama ya la atención que consideremos lenguajes, *la moda de vestir, las señales de circulación, las expresiones arquitectónicas, el montaje cinematográfico (incluso —o sobre todo— del cine mudo), las otrora famosas reglas de urbanidad, los ritos de las más variadas especies, etc. Todas esas manifestaciones han sido y están siendo estudiadas como sistemas de signos, insertos muchas veces en moldes generales previsiblemente compartidos con la literatura. ¿Será mucho esperar que un relato fílmico y un relato literario tengan algo en común? Sin embargo, nosotros no atenderemos al desarrollo ni siquiera de los territorios fronterizos.*

Por otra parte, sólo nos interesarán tácticamente los textos codificados en lenguas naturales, que gozan de esa situación peculiar que solemos calificar también como «literaria», o sea son textos que reclaman un interés distinto de parte del público lector y sobre los cuales la pregunta ¿verdaderos o falsos? no tiene el sentido habitual que conoce con relación a los mensajes «normales». Se trata de productos artísticos (si queremos calificarlos con una palabra de connotaciones metafísicas) o de ficción (si preferimos aludirlos por la vía de la connotación lógica), emitidos sin la presión de una finalidad práctica y cuyo contexto inmediato está deliberadamente suspendido por convenio. Se actualiza en cada actividad lectora.

Hemos dicho antes que se trata de restricciones tácticas. Es evidente que no cabe en la realidad una delimitación tan absoluta: por ejemplo, el mensaje verbal inserto en un relato cinematográfico se ve afectado (incluso intrínsecamente) por tal modo de presentación. De otra parte, no existe una frontera tan tajante entre mensaje artístico (o siquiera «de ficción») y mensaje práctico como podría sugerir la comparación entre una factura y un poema de Bécquer.

También el término «semiótica» requiere una cierta explicación. Todos estos trabajos están próximos de otros que encontramos en los repertorios con el nombre de «estilística», «retórica», «poética» (o «poética lingüística»), «crítica literaria» o (como no incluyo ningún ensayo de aplicación práctica) «teoría de la crítica literaria». Incluso uno podría clasificarse como «sociología de la literatura». Espero que de su lectura se desprenda la justificación tanto de este hecho, como de haber elegido «semiótica» como marbete unificador del común denominador. Sin embargo, serán necesarias dos palabras por si hubiera algún lector menos advertido.

Todo el mundo sabe que las actuales estrategias científicas del análisis de signos reconocen como fundador de parte europea al lingüista Ferdinand de Saussure (1857-1913) quien sugirió la posibilidad de una ciencia de los signos o «semiología» dentro de la cual la lingüística o ciencia de los signos de las lenguas naturales tan sólo sería una rama. De parte americana se cita al filósofo Charles Sanders Peirce (1839-1914) preocupado por investigar la producción del significado, la semiosis, mediante la ciencia que bautizó con el nombre, ya utilizado por Locke, de «semiótica».

De las controversias, disputas, prácticas, reclamación de filiaciones y demás divertimentos abordados a partir de aquí, se ha llegado a la situación, esperable por quien conozca a los científicos, de una fuerte polisemia del término «semiótica» (cfr. Bobes Naves, 1973: 91-95) y a la indeterminación (a pesar de la reunión de especialistas celebrada en París en 1969) sobre si «semiótica» y «semiología» son términos intercambiables o la primera es parte de la segunda o la segunda es parte u objeto de la primera, etc.

Nosotros, al escoger el término que, según la reunión de 1969, debía «prevalecer para lo general», queremos tan sólo sugerir que todos los trabajos están influidos por el hecho de que tomamos rigurosamente en serio que los mensajes literarios son codificaciones que resultan de sistemas de signos y que pensamos que esto debe llevar a los estudiosos de la literatura a atender a los tres aspectos que según Morris (1946) engloba la semiótica: el sintáctico, el semántico y el pragmático.

El aspecto sintáctico atiende a la relación de los signos entre sí, el aspecto semántico estudia la relación de los signos con los objetos que representan y el aspecto pragmático mira a la relación de los signos con los ejecutores del acto de comunicación.

Creemos que a lo largo de estas páginas se desprende nítidamente nuestra posición a este respecto: el estudio de los aspectos sintácticos y semánticos es insuficiente para la caracterización literaria de un texto; sin embargo, el aspecto pragmático al depender de los ejecutores (pero también de los signos) no puede prescindir de los otros dos. La sintaxis y la semántica se resuelven en una pragmática y ésta se configura entre la sintaxis y la semántica de una parte y las reglas de la sociología por otra.

Pero no sigamos adelante en estas líneas que tan sólo quieren justificar la selección de un nombre que, sin embargo, no suscita en nosotros especial entusiasmo. En efecto. No se sabe (o sí) *por qué, la semiótica ha servido de patente de corso con la que han irrumpido en el mundo profesional (profesoral) muchos de los que no tenían credenciales científicas suficientes de lingüistas o de estudiosos de la literatura. Quizás la rehabilitación de la palabra no sea del todo un propósito ocioso.*

El tercer aspecto, además de su carácter de «literarios» y «semióticos», que sirve de leit-motiv *a los trabajos que presentamos, es la perspectiva hispánica desde la que están enfocados. Los principios generales de las teorías del lenguaje y de la literatura trascienden, por definición, las demarcaciones de cualquier localismo, pero dentro de cada comunidad científica hay aspectos más desarrollados, cuestiones menos atendidas, peligros de distorsión diferentes que exigen una reflexión propia que no se rellena con la mera traducción de las aportaciones realizadas en otras partes. Lo que decimos aquí, sin excluir propuestas que se hacen pensando en la comunidad científica en general, está explícitamente influido por esa perspectiva hispánica impuesta por la lengua común a cuyos productos queremos dedicar nuestro esfuerzo y por esa tradición científica y cultural, también común, de la que no podemos olvidarnos sin caer en grandes despropósitos.*

Si comparamos obras recientes como Teorías de la literatura del siglo XX *de Fokkema e Ibsch (1977) con la nuestra, es fácil observar, aparte de su distinto carácter (el libro de referencia es un panorama casi general y el nuestro es una selección de cuestiones), las diferencias de subrayados en los temas que tratamos a tenor de los condicionantes que venimos considerando.*

Por otra parte, siguiendo con el ejemplo, resulta llamativa la diferencia que salta a la vista comparando las referencias en los dos libros. Sólo un autor español aparece entre todos los citados en el volumen británico y éste (Claudio Guillén) es profesor en los Estados Unidos de América y escribe la obra referida en inglés (Guillén, 1971).

Pretendemos, en consecuencia, que nuestra aportación sea complementaria de la abundante bibliografía extranjera sobre estas cuestiones cuya rápida traducción al español está convirtiéndose en una afortunada costumbre entre nosotros.

Así se explica que abramos el libro con un capítulo que hace referencia al marco institucional español y que hagamos implícitas remisiones a él en los cuatro restantes.

Las cuestiones seleccionadas son, a nuestro juicio, fundamentales en el sentido más estricto de que tratan de los fundamentos *de la* literariedad *según los paradigmas más difundidos de la teoría del lenguaje. Pero lo son también en cuanto constituyen un lugar privilegiado de observación de la dialéctica de conservación/innovación en el paradigma científico.*

Hay entre nosotros quienes miran con desconfianza cualquier otro camino que se emprenda sobre el mismo campo de observación (de aquí también vienen denuestos sobre el nombre de «semiótica») y los hay, por el contrario, que desconociendo toda nuestra rica tradición filológica, se entregan denodadamente a la divulgación de la última publicación extranjera, tanto más admirada cuanto menos entendida. Si cada paradigma supera e integra el anterior, resulta peligroso desconocer la secuencia, sobre todo, cuando quizás no se han explorado todas las virtualidades del que está comúnmente en uso.

Nuestro deseo es obtener en estas páginas el justo medio (que no siempre está en la mitad) de la ponderación, de modo que la curiosidad por las innovaciones propias o ajenas no nos haga perder los hallazgos sólidos y vigentes cuya explotación haría progresar sin duda el estado de nuestra filología.

Explotar quiere decir aplicarlos rigurosamente en el análisis de textos concretos. Si siguiéramos siempre en el nivel de extrema generalidad en que se mueven estas propuestas, para nada serviría el formularlas y, además, quedarían perpetuamente incontrastadas, lo que equivale aproximadamente a decir inútiles.

A continuación daremos las fuentes de los trabajos que se incluyen aquí. Unos han sido ya publicados y se les ha hecho sólo los indispensables retoques para la presente edición, otros son inéditos y constituyen partes o síntesis de obras en curso de publicación. Se han unificado las referencias y se ha procedido, cuando ha hecho falta, a alguna actualización. Como es inevitable, a veces se advertirán ciertas reiteraciones, pero quizás no sean del todo inútiles. El mismo problema, visto nuevamente desde distintos ángulos, se ilumina de una forma más intensa.

He aquí las referencias de los distintos capítulos.

1. «La poética, disciplina actualizada», publicado en Revista de Bachillerato. *Cuaderno monográfico número 2 («Lengua y Literatura Españolas»). Madrid, Servicio de Publicaciones del Ministerio de Educación y Ciencia, 1978, págs. 74-81. Se ha ampliado con una actualización hasta 1980.*

2. «Todavía sobre las funciones externas del lenguaje», publi-

cado en Revista Española de Lingüística *(R. S. E. L.), VIII, 2, Madrid, Gredos, julio-diciembre de 1978, págs. 461-480.*

3. «Sobre la Semiótica (o Teoría) literaria actual», publicado en Revista de Literatura, *XLII, 83, Madrid, C. S. I. C., enero-junio de 1980, págs. 5-24.*

4. Selección de material preparado para el trabajo en elaboración «Teoría de los géneros literarios» destinado al libro colectivo programado por Editorial Alhambra con el título de Teoría de la literatura y crítica literaria.

5. Parte de la presentación y conclusiones de un libro titulado Gyorgy Lukács: Sociología de la literatura *que se me encargó en su día para ser publicado en varias lenguas por un consorcio de editoriales a las que la crisis económica europea ha impedido de momento la realización del proyecto en que mi trabajo se incluía. No desespero, sin embargo, de dar a conocer algún día, por el canal en principio previsto u otro, el volumen completo.*

Las referencias finales incluyen sólo títulos citados en el texto. El año que se señala es el de la primera edición del original y la ficha corresponde a la obra que hemos manejado en cada caso. Cuando no hemos utilizado la versión española de un trabajo del que exista traducción, indicamos también la ficha de ésta.

El dar la fecha de la primera edición responde, como se sabe, al deseo de indicar en qué estadio de la historia de la ciencia lingüística hay que situar el trabajo de referencia. Por esa razón, cuando en algún caso se han hecho compilaciones de artículos actualizados por su autor o que quieren servir de visión retrospectiva desde ese otro momento, remitimos a la fecha de revisión. Aunque muy pocas veces, también hemos tenido que dar alguna fecha derivada porque no hemos podido conocer la de la primera edición.

En el capítulo 5, en el que nos vemos obligados a citar reiterativamente un mismo título (Lukács, 1961), nos limitamos a indicar sólo las páginas. Me parece que no hay ninguna dificultad de comprensión por ello.

El lector avisado advertirá lo fácil que le ha de resultar de este modo fabricar su propia bibliografía de cualquier cuestión de las tratadas con sólo puntear las referencias que se van indicando al hilo.

Todo en este trabajo se ha hecho con la intención de que resulte útil a tenor de la circunstancia a la aludíamos al principio, que es la que nos lo ha hecho concebir.

INTRODUCCIÓN

Las reflexiones que constituyen este libro abordan algunos principios fundamentales de la *literariedad* o propiedad de determinados textos que son calificados de «literarios». Hay dos posturas radicales y antagónicas sobre la cuestión:

1) La de los que sostienen que tales fundamentos se encuentran en la forma (del contenido y, o de la expresión), y 2) la de los que sostienen que tales fundamentos se basan en la sustancia del contenido (*sustancia* de orden social o de alcance metafísico, según los casos).

Aquí sostenemos nuestra anterior afirmación de que la *literariedad* hunde las raíces en la sustancia del contenido, pero se decide en un *lugar* dialéctico entre contenido y expresión (Garrido Gallardo, 1975).

A la luz de este supuesto se comprenderán las relaciones existentes entre los distintos trabajos que presentamos. El estudio de la «forma» se demuestra imprescindible si queremos comprender cómo un determinado asunto se puede presentar como literario o como no literario alternativamente. Se advertirá, sin embargo, que las precisiones formales propuestas parecen cuadrar mejor a la poesía (discurso rítmico) que a ese otro campo, objeto de la Poética, que es la prosa literaria. En esta apreciación —justa— alienta una intuición aún no demostrada: que la poesía (el discurso rítmico) sea el paradigma formal de toda literatura «verdadera» que en su manifestación en prosa presenta parejas manipulaciones, pero sólo de vez en cuando y engastadas en tejido conjuntivo diverso o en otros niveles de la codificación discursiva que no es el de las frases.

Por otra parte, mecanismos de manipulación de las formas han sido advertidos de una manera continuada por la tradición de la Retórica y es necesario precisar la identidad y las divergencias que existen por debajo de apreciaciones de escolásticas distintas, a veces con pocos años de diferencia entre sí, dentro de la historia de nuestra disciplina.

En todo caso, el nuevo estudio de la «forma» no deja de suscitar cierta aprensión que reclama una instancia sociológica: ¿no es verdad que en el devenir de la Historia hay textos que se convierten en literarios o que dejan de ser considerados como tales?

Entonces, ¿cuestión de forma?, ¿cuestión de pragmática social? El caso es también que el crítico puede atreverse a decir que la obra circulada como literaria o es una obra de consumo que nada tiene que ver con el arte (por el fondo o por la forma) o que existe un verdadero filón literario (fondo) en una forma desgraciadamente fallida. Todos los críticos —aun los más «sociológicos»— apelan con frecuencia sin darse cuenta a principios estéticos, de Metafísica.

Pero el alcance filológico de estos estudios se detiene en ese umbral lingüístico en general o del lenguaje concretado en literatura como institución social.

No nos hemos atrevido a calificar estas páginas de Fundamentos de Poética (o Semiótica literaria), pero eso son. No todos los fundamentos ni los definitivos, sino sólo los fundamentos lingüísticos y, acaso, en su alcance social. La narratología, el estudio del lenguaje de la lírica, la caracterización pormenorizada de los géneros históricos de nuestra historia literaria, etc., podrán hacerse (o revisarse) a partir de aquí, pero no son tratados —ni elípticamente— en este volumen.

Las claves para la comprensión de este texto no son, sin embargo, sólo intrínsecas. El que escribe pertenece a una comunidad profesional (profesoral) con una historia que ilustra también el sentido de algunas afirmaciones y obsesiones. El capítulo primero no sólo sitúa cuestiones, sino que también sitúa al autor.

En resumen, lo que pretendemos mostrar es lo siguiente:

1) que la moderna teoría literaria española encuentra su más fecunda aportación en el desarrollo de la Estilística como Poética lingüística y que ésta supone un paradigma estructuralista aún por agotar;

2) que, sin olvidar que hay frutos que recoger en las investigaciones en curso, las nuevas propuestas e incitaciones que se reciben obligan a instrumentar para su incorporación algunas nuevas técnicas (particularmente las que provienen de la atención por la pragmática), demostrar que no son aprovechables para

nuestro propósito otras (particularmente las basadas en la semántica generativa) y postular una Sociología de la literatura precisa que no sea antimetafísica porque, si quiere hablar de la Literatura en sentido estricto (o sea, como arte) y es antimetafísica, resultará inevitablemente contradictoria.

LA MODERNA TEORÍA LITERARIA EN ESPAÑA (1940-1980)

El primer problema que se plantea es el de qué debemos entender por «moderna». Yo he creído que debía exponer lo que hoy se lee y se explica en nuestro ámbito universitario y docente en general y, así, he empezado —otra vez— por la Estilística de los años 40. Pero ¿cómo omitirla de lo «actual», si se le da a Bousoño en 1978 el Premio Nacional de Literatura por un libro sobre el símbolo?

Aunque mi intención es fundamentalmente descriptiva, he creído que la exposición resultaría más ordenada (y quizás más inteligible) si la encuadraba en el marco de la historia política de las últimas cuatro décadas en España.

Razones de espacio me han hecho limitar lo inventariado casi solamente a los trabajos publicados recogidos en forma de libro (y no todos), lo que deja mucho por citar, aunque, espero, ninguna línea significativa sin exponer. Por la misma razón, se echarán en falta trabajos de españoles que estos años han estado fuera de España o textos críticos menos explícitos en cuanto a la teoría, sobre todo de la Escuela Española de Lingüística de cuya importancia y solidez, sin embargo, soy sincero admirador.

Hablaremos de Crítica literaria, Teoría de la Literatura, Poética..., las propias denominaciones nos van indicando sucesivos tratamientos del objeto al que nos queremos referir y, todavía, términos como Estilística o Semiótica o Semiología literaria evocan específicas aproximaciones a la cuestión. En el estado actual, la Estilística sería una parte, como semiología literaria, de una presunta semiótica general y compañera de semióticas tan importantes como la de las lenguas naturales o Lingüística, o más limitadas como la de los relatos o Narratología. Nótese que la realidad dista de conocer delimitaciones tan tajantes como las que acabamos de sugerir. La poética de la novela habría de incluir una semiótica lingüística (de «lengua literaria») en la medida que estos textos coincidan con todos los que son llamados «literatura», y una semiótica de la narración en la medida en que, como relato, coincide con sistemas como el de los filmes o historietas. Es más: los diversos planos y niveles de la «semiótica novelesca» no coincidirían con una parte de la Lingüística, sino con una disciplina lingüística (Semiótica de la lengua literaria); ni con una parte de la Narratología, sino con una disciplina narratológica (la Semiótica del relato fabricado sólo con el concurso de las lenguas naturales). Y la complicación no acaba aquí: la incidencia de la Teoría de la información y de la G. G. T. ha dado lugar, respectivamente o a la vez, a la Teoría del texto o Gramática del texto que pretende estudiar el comportamiento verbal y, por consiguiente, el comportamiento verbal literario (objeto de la Poética) en las perspectivas amplísimas de una Semiótica tal que se convertiría en Teoría del comportamiento.

No puedo tratar de exponer, en el espacio de este capítulo, los desarrollos, reservas y sugerencias que esta disciplina, hoy en ebullición, plantea, y menos las posibilidades concretas de fecundar con ella nuestra enseñanza de la Literatura, pero he querido abrir este panorama de la Poética, porque en él se enmarca la situación en España que constituye el tema de estas páginas.

Se trata, pues, de exponer la producción bibliográfica relacionada con la cuestión que nos ocupa en el período de 1940 a 1980. Creo que estos límites de fechas permiten una cierta perspectiva al prescindir de las publicaciones de estos últimos años y por responder a una etapa histórica clausurada y perfectamente definida. La exposición se hará por épocas, adoptando flexiblemente la periodización histórica propuesta por Elías Díaz (1974).

Sin embargo, el interés es preferentemente sincrónico. La ordenación diacrónica es tan sólo un modo fácil —meramente mostrativo— de señalar la filiación y superación (en el sentido hegeliano) de unos métodos de trabajo por otros, aunque todos siguen vigentes en nuestro panorama cultural. Además, tal ordenación nos permite atisbar las causas extrínsecas que explican alguna diferencia entre nuestra producción y la de los demás países occidentales. Finalmente, este tipo de desarrollo nos permitirá una clasificación con clave histórico-sociológica sobre toda nuestra investigación hasta ahora, de lo que se puede deducir, creo, por dónde habrá que encauzarla en el futuro.

1940-1951

No nos ocuparemos aquí de trabajos filológicos primorosamente elaborados que se publican en los primeros años como el estudio sobre San Juan de la Cruz (1942) del maestro Dámaso Alonso, o el que hace sobre Garcilaso don Rafael Lapesa (1948), pues nuestro propósito es ocuparnos de la teoría literaria, de base lingüística o ideológica producida desde la posguerra española. Ni siquiera haremos alusión a la teoría literaria explícita o implícitamente presentes en las revistas de la nueva cultura: *Escorial*, *Arbor*, *El Ciervo* o la mucho más próxima a nuestra comunidad profesional, *Insula* (1946), que ha supuesto una continuidad abierta y permanente de aire liberal y dignidad crítica en el panorama de los estudios literarios. Con mayor motivo, tampoco nos detendremos en la paraestatal *La Estafeta literaria* de aquellos tiempos, cuya fundamentación teórica era expuesta así literalmente:

> Nuestras páginas ofrecen, en lugar de zanjas que dividan, la meseta limpia sobre la que alzar la rica, varia y, sobre todo, unitaria presencia de nuestro estilo artístico. Para nuestros fines, más que la «reacción del corazón individual» nos interesa el esfuerzo de todos al servicio, no del Arte por el Arte, sino del Arte y las Letras por España y por su Caudillo (*apud.* Martínez Cachero, 1973: 55).

Dos obras estilísticas de Dámaso Alonso están datadas ya en estas fechas. *La Lengua poética de Góngora* (1950), que había sido Premio Nacional de Literatura en el año 1927, y que sólo ahora veía la luz, ofrecida como primera parte. Quisiera llamar la atención sobre dos aspectos, más allá de la lectura entonces novedosa y polémica de Góngora que el texto suponía: 1) que sea un trabajo tan centrado en procedimientos lingüísticos de la obra de Góngora, casi una *Poética* como volveríamos a decir hoy, 2) que sea un trabajo de tan primitiva fecha, lo que pone de relieve algo que todos sabemos, pero que ahora algunos empiezan a subrayar (cfr. Marcos Marín, 1975: 9-10) en medio de las importaciones de cultura anglosajona: la llamada Escuela Española de Lingüística nunca consideró compartimentos estancos la lengua y la literatura y, por consiguiente, situados en esa tradición, resulta absurdo el esforzarse por echar cables desde una disciplina a la otra, como si hubiera un tajo entre ambas, como si la mejor lingüística española del siglo XX no la hubiera hecho Menéndez Pidal, sino Bloomfield.

Poesía española. Ensayo de métodos y límites estilísticos (1950) que recogía trabajos expresados oralmente con anterioridad inauguraba la colección «Estudios y Ensayos» de la importante Biblioteca Románica Hispánica que Dámaso Alonso viene dirigiendo en la editorial Gredos. Sería inútil detenernos aquí en la conocidísima primera obra de la Teoría literaria española en estos años sobre la que hay libros inspirados en todo o en parte como los de García Morejón (1961), Cecilia Hernández de Mendoza (1962), Fernández Retamar (1963), V. Báez S. José (1971) o J. L. Martín (1973). Pero tal vez ahora sea oportuna una precisión: leer *Poesía española,* hoy, es darse cuenta de la importante y consciente posición estilística que encaraba Dámaso Alonso y también de las coordenadas científico-teóricas en que necesariamente tenía que moverse: por eso parecen excesivas actualmente tanto las posturas admirativas discipulares que ven aquí un estudio rigurosamente homólogo al de una «gramática de la poesía» en el sentido de Jakobson o Levin, como las críticas a «moro muerto» que dedican páginas y páginas a desmontar el concepto de unicidad (cfr. Martínez García, 1975: 27-32) o incluso lo indesmontable como la fina percepción de las recurrencias («infame turba de nocturnas aves») expresada, eso sí, en moldes lingüístico-conceptuales del momento (cfr. Báez S. José, 1971: 36).

1951-1956

Este período supone, en cuanto a estudios de Teoría de la literatura, una consolidación de la Estilística, máximo acercamiento científico posible —diría Dámaso— al misterio de la poesía.

Amado Alonso, quien por su estancia en la Argentina pudo saltar por encima del hiato que se produjo en España, publica ahora la segunda edición de su admirable *Poesía y estilo de Pablo Neruda* (1951) y, años después, aparecía póstumamente el conjunto de trabajos recogidos bajo el título de *Materia y forma en poesía* (1955) que, leídos de manera unitaria, ilustran sobre un modo de hacer sin duda menos genial, pero ponderado y sólido del más eficaz introductor de la moderna lingüística en el ámbito hispánico.

La consolidación de la estilística se manifiesta claramente también por los libros españoles de estos años. Dámaso publica una recopilación de trabajos (algunos famosísimos) en sus *Estudios y ensayos gongorinos* (1955) de los que hoy llaman la atención por su modernidad los hallazgos «formalistas» hechos por nuestro filólogo mucho antes de que la escuela rusa del Método Formal conociera la tremendamente tardía difusión en la Europa occidental (con algunos años de propina en España). Con su discípulo Carlos Bousoño nos ofrece *Seis calas en la expresión literaria española* (1951) en donde se contienen explicitaciones teóricas, incluso adelantando en la línea de *Poesía española.* Y el propio Carlos Bousoño publica su obra teórica fundamental (1952) que ha ido acrecentando en sucesivas ediciones hasta la 5.ª de 1970, en dos volúmenes que se consignan como «versión definitiva».

Indudablemente, la obra de Bousoño supone una muy amplia teoría poética. No es éste el momento de discutir con pormenor cada una de sus afirmaciones, pero queremos señalar tres hallazgos y una carencia. Los hallazgos son: 1) el postular explícitamente un estudio retórico del texto, es decir, la toma de conciencia de que la *elocutio,* las «figuras», lo que hasta la crisis ideológica del siglo XVIII había sido un *corpus* bien experimentado por la tradición de los estudios literarios, tendría que seguir siendo válida (por su objetividad), aunque muy ampliada y perdiendo su carácter normativo, 2) el teorizar al hilo de un conocimiento muy directo de la poesía española y no limitarse a una elaboración *in vitro,* 3) el vislumbrar lo que hoy llamaríamos «implicaciones extensionales» del hecho poético y no limitarse a una teoría lingüística (en sentido restringido). La carencia, a nuestro juicio menos trivial de lo que a primera vista pudiera parecer, es la falta casi total de solidaridad léxico-conceptual con la tradición y con los estudios de teoría literaria coetáneos. Formular una pura teoría personal en todos y cada uno de los puntos (y no sólo cuando es imprescindible) lleva al peligro de «descubrir mediterráneos» o, por lo menos, a dificultades de comunicabilidad y de difusión de la propia teoría.

La necesidad de estudiar la lengua literaria es ya un hecho comúnmente admitido y E. Alarcos Llorach en su obra sobre Blas de Otero, que contiene sagaces análisis estilísticos de algunos poemas de este autor, puede aceptarlo plenamente:

> Por ello, para intentar la aprehensión del mecanismo de una poesía no queda más camino que el análisis de la forma lin-

> güística, aunque algunos denominan a éste con cierto desdén, análisis formal. Forma es la poesía como todo arte. Sin la forma, que configura y discrimina los contenidos suscitados por la intuición y el sentimiento, no queda nada: un caos incomunicable (y la poesía, se ha dicho, es esencialmente comunicación) (Alarcos Llorach, 1955: 57-58).

La utilísima *Introducción a la literatura medieval española* (1952) de F. López Estrada se hace eco también en su capítulo VII de esta aceptación profesoral de la estilística.

Por último, hay que consignar, dentro de este período, la recopilación de trabajos de J. M. Valverde bajo el rótulo de *Estudios sobre la palabra poética* (1952), que, aunque aparecen en, a la sazón, hiperideologizada «Biblioteca del Pensamiento Actual», de Rialp, es, en general, una aproximación crítica a textos poéticos, aunque, eso sí, con continuas referencias al lenguaje.

1956-1962

En estos años tenemos que reseñar las primeras teorías críticas militantes del período.

El libro *Drama y sociedad,* de Alfonso Sastre, puede ser resumido en la opinión del propio autor, escrita diez años después: «cuando en 1956 publiqué *Drama y sociedad* mi intención era bien modesta: apenas algo más que recordar críticamente, poniéndolas al día, las bases de la *Poética* de Aristóteles. Entonces yo era, podríamos decir, una especie de nihilista socializante» (Sastre, 1965: 7).

Juan Goytisolo (1959) recoge en volumen una colección de artículos publicados la mayor parte de ellos en el semanario *Destino* hasta reunir 106 páginas de pequeño formato más unos cuantos textos como apéndice. Cita a Alfonso Sastre, la poética de Gabriel Celaya, E. de Nora y Blas de Otero en *Antología consultada de la Poesía española* y hace apreciaciones, a veces interesantes, al hilo de los acontecimientos de aquellos años. Sin embargo, se hace en la obra una defensa del *conductismo* que parece demasiado radical:

> El hombre ha buscado siempre en el arte el medio de expresarse MAS. Por esta razón, la novela objetiva, basada en una apreciación sintética y real de su conducta, se ha convertido, quiéranlo o no escritores y críticos, en el único medio eficaz de novelar de nuestro tiempo (Goytisolo, 1959: 62).

J. M. Castellet parece ofrecer un título atractivo con *La hora del lector*, pero no se refiere a las posibilidades de novedosas historias literarias del público, sino a su apreciación de que las nuevas formas de novelar «son propias de la hora del equilibrio entre dos hombres que se descubren iguales ante una tarea común» (pág. 63). Hay afirmaciones en pro de la objetividad del mismo tenor que la antes citada de Goytisolo:

> Todo ello ha hecho posible que la novela de nuestro siglo tenga como cualidad fundamental su inquietud por todos los problemas humanos vistos a través de una pluralidad de enfoques narrativos y, especialmente de un tono general de objetividad, básicos para un posible entendimiento y mutua colaboración entre autor y lector (Castellet, 1957: 41).

No es extraño que al acabarse la moda de una cierta novelística «objetiva», «realista», «antiburguesa», «proletaria», etc., hayan tenido estos autores que cambiar de supuestos teóricos en verdad nada proféticos.

En el otro extremo de la concepción de los estudios de Poética, el *Sistema de rítmica castellana* (1962), de Rafael de Balbín, métrica acústica que suministra interpretaciones mecánicas más acá de los significados, supone hasta la fecha la aportación de más fuste a la versología española, fuera de la que se hizo en el Centro de Estudios Históricos y luego continuó en el extranjero Navarro Tomás.

1962-1969

Si hasta ahora hemos seguido el itinerario de nuestro tema a través de libros individuales, ahora resultará más indicativo hablar de tres simposios celebrados en estos años con diversidad de fecha y propósito.

En octubre de 1963 se celebraban unos coloquios internacionales sobre «Realismo y realidad en la literatura contemporánea», presididos por J. L. L. Aranguren, que reunieron a novelistas del *nouveau roman* y teóricos franceses. En la crónica anónima de *Insula* (núm. 204, noviembre 1963, pág. 2) se nos comenta cómo «Frente a esta tendencia de un arte individual ,inventor, no sometido a las necesidades y exigencias de una sociedad, los partidarios del realismo social —Celaya, Sastre, López Pacheco y otros— sostuvieron —aunque matizando cada uno su posición— que este arte experimental —cuyo ejemplo máximo es hoy en Francia el *Nouveau Roman*— será lícito en todo caso en aquellos países de pleno desarrollo social y cultural, pero no en aquellos otros en que las circunstancias históricas y el atraso del desarrollo social exigen del escritor un arte realista, comprometido con su época y con su país».

Este texto, que puede ser revelador de un cierto atraso que indudablemente existe en nuestra teoría de la novela y es continuación de las posiciones reseñadas en el período anterior, se verá desbordado bien pronto por los hechos de la historia social (en que toda esta literatura no influye *de facto*) y por la historia literaria (que ve cómo la novela termina por huir de realismos estrechos).

Con fecha de 1967 se publican los coloquios sostenidos en 1964 sobre *Problemas y principios de estructuralismo lingüístico* con motivo del 25 aniversario de la fundación del C. S. I. C.

Sin entrar en el contenido total de los mismos nos debemos detener aquí en dos comunicaciones, la de «Estructuralismo y poesía», de G. Salvador y «Sobre la linealidad de la comunicación lingüística», del fallecido profesor de latín Eugenio Hernández Vista, porque suponen la señal de irrupción entre nosotros de una estilística estructural como propósito explícito. El texto de Salvador es fundamentalmente una llamada de atención sobre las posibilidades de análisis connotativo del lenguaje artístico en el seno de la teoría glosemática, tal como había sido expresado por S. Johansen (1949) en los T. C. L. C., que el propio profesor Salvador busca confirmar con la aplicación práctica en un artículo publicado en *Archivum* en el mismo año (Salvador, 1964b). Hernández Vista, inspirándose en nociones generales de Teoría de la información de cuño martinetiano y con una metodología declaradamente estructuralista, propone un método propio (ya explícito en trabajos anteriores y especialmente en un libro de ese mismo año) con ideas en parte coincidentes con las de M. Riffaterre a las que llega con independencia del crítico americano.

Con fecha de 1971 se publican los coloquios —réplica literaria de los lingüísticos recién reseñados— sobre *Historia y estructura de la obra literaria* celebrados en el propio C. S. I. C. del 28 al 31 de marzo de 1967. Muchas de las comunicaciones caen dentro de los métodos tradicionales, aunque hay algunos títulos que revelan las influencias de las teorías literarias foráneas sobre nuestro panorama. Así, Ricardo Senabre hablará sobre el «Influjo del público en la estructura de la obra literaria», Alberto Porqueras Mayo da noticias del «*New Criticism* de Ivor Winters», Joaquín Arce reseña la «Crítica italiana entre historicismo y estructuralismo», S. Mariner publica aquí un artículo de la importante serie de orientación estructuralista del análisis rítmico de la que es autor, Francisco Ynduráin firma «la novela desde la segunda persona» y Ramón Barce, al abordar «los arrabales de la literatura», se pone ante una temática —la de la subliteratura— por entonces poco frecuente en el mundo académico español. Todavía debemos consignar la publicación en España de un libro teórico importante de corte metafísico eliotiano debido al escritor chileno J. M. Ibáñez Langlois (1964) y una recopilación de artículos de A. Sastre (1965) con la que avanza en la línea ideológica de una progresiva radicalización marxista en la que (a estas alturas) se percibe una gran presencia de Brecht.

1969-1975

Nuestra disciplina conoce ahora un tratamiento comparativamente muy abultado que desborda cualquier moda concreta para abrirse a una pluralidad de finalidades y tratamientos.

Debemos destacar en primer lugar la labor del profesor Lázaro Carreter en varios frentes en pro de la constitución de una nueva Poética. Señalemos primeramente lo que supuso su información sobre «La lingüística norteamericana y los estudios literarios en la última década», publicada en 1969: se trató, nada menos, que de abrir el panorama español (que solía vivir en feliz aislamiento, si acaso con un portillo abierto al colonialismo cultural francés) al fecundo enriquecimiento que estaba conociendo en los EUA la Teoría literaria de base lingüística, contra la asepsia de la lingüística norteamericana precedente denunciada en la fecha (ahora tópico entre nosotros) de 1958, año de la celebración del célebre congreso de Bloomington. A ese artículo siguen la publicación por ediciones Cátedra (sin duda inspirada por Lázaro) de varios de los textos fundamentales reseñados en su trabajo y hasta entonces olímpicamente ignorados por la mayoría (la edición castellana de *Linguistic Structures in Poetry*, de Levin lleva presentación y apéndice de Lázaro) y la aplicación a textos castellanos de supuestos derivados de estas concepciones (fundamentalmente de la jakobsoniana) en sendos artículos insertos en los volúmenes de Homenaje a Ynduráin y Lapesa. El artículo «¿Es poética la función poética?», que, como contribución al Homenaje a Raimundo Lida, publicó en 1975, me parece, sin embargo, trabajo de menor interés por cuanto su conclusión —«la función poética no es exclusivamente poética y, por tanto, no es distintiva»— resultaba ya más que aceptada por la comunidad profesional.

Finalmente —y en un itinerario que nos parece modélico— el profesor Lázaro Carreter, que ha publicado varios de estos artículos en un libro (1976b), discutiendo las adquisiciones conseguidas, avanza en el camino de la constitución de un nuevo marco teórico en trabajos como «Consideraciones sobre la lengua literaria» (1974), leído en el simposio sobre lenguaje artístico organizado por la Sociedad Española de Lingüística en 1973.

Otro núcleo de contacto con el exterior y promoción de textos en que se da relieve al marco teórico-metodológico está unido al nombre del profesor y novelista Antonio Prieto que se hace cargo en 1969 de la colección Ensayos/Planeta y, posteriormente, funda la revista de lingüística y crítica literaria *Prohemio*. A través de este canal hay una potenciación del trasiego de trabajos franceses y, sobre todo, italianos bajo el marbete de «semiología». (Cesare Segre, por ejemplo publica en *Prohemio* y ve traducidos sus libros en la colección de Planeta.)

La labor que aquí se hace no es tan sistemática como la anterior, pero tiene una indudable importancia. Así, se dan a la imprenta trabajos de entidad como *Estructuras de la novela actual* (1970), del profesor Baquero Goyanes, culminación actualizada de una serie de conocidos y buenos trabajos sobre la novela que había venido publicando en los años 60, *El significado actual del formalismo ruso* (1973) y la *Introducción a la poética clasicista: Cascales* (1975), de Antonio García Berrio que da muestras de un extenso y profundo conocimiento de la moderna teoría literaria al hilo de los temas de exposición (*El Formalismo Ruso*, por lo demás, era todavía «novedoso»: hasta 1975 no habrá traducción española del libro de Erlich) y los libros del propio Antonio Prieto *Ensayos semiológicos de sistemas literarios* (1972, 1.ª ed.), y *Morfología de la novela* (1975, 1.ª ed.) que difunden ampliamente una terminología semiológica y un notable aparato documental de textos modernos, aunque no sean libros formalmente sistemáticos, pues nunca pierden el carácter de «productos de artista», según se desprende de numerosos textos como el siguiente de *Morfología de la novela:*

> El tiempo pasa (*As time goes by,* que escucho al piano) y sólo la palabra herida en intimidad puede acunarnos en algo de lo que fuimos. Como posterior a *Ensayos semiológicos,* estas páginas quisieran tener (ser palabra) algo de ese humanismo que, narrativamente, me animó a escribir *Secretum*... (Prieto, 1975: 10).

El punto de vista semiológico promovido por el equipo de Planeta se ve servido en los trabajos de la profesora Bobes Naves que acepta notación y terminología de la gramática generativa y transformativa en publicaciones conjuntas con alumnos de su departamento (1974) o propias, como la *Gramática de «Cántico»* (1975), volumen 1 de una nueva colección intitulada Planeta/Universidad.

La tercera relativa novedad es la aparición en el panorama español del cultivo de la sociología de la literatura de cuyo nacimiento, propagación y posibilidades ofrece una excelente crónica J. C. Mainer (1973) en el número 1 de *Sistema. Revista de Ciencias Sociales,* que revela palmariamente en su subtítulo el auge a estas alturas de las ciencias del hombre que hasta el momento estaban relegadas a los ámbitos «académicamente profesionales».

Es cierto que, inicialmente, el rótulo de «sociología» sirvió para muchos trabajos distintos (Mainer, por ejemplo, opina que el Cuaderno «Taurus», *Sociología de una novela rosa* (1968), lectura intencionada que hace A. Amorós de 10 novelas de Corín Tellado, pudo ser el primer estudio literario rotulado como «sociología»), pero no lo es menos también que muchísimas veces se ha hecho sociología de la literatura sin saberlo (o sin decirlo) como, por ejemplo, en algunos espléndidos estudios de J. A. Maravall (1964).

Mirando a los que buscan su línea directriz en la sociología de la fabricación, distribución y consumo del producto literario (dicho, *grosso modo,* los discípulos de Escarpit), encontramos que Santos Sanz Villanueva y José M. Díez Borque publican en el número de diciembre de *Cuadernos para el diálogo* una encuesta sobre lectura realizada con estudiantes de la Facultad de Letras de Zaragoza (1970) y, al año siguiente, presentan sendas comunicaciones del mismo tenor en el I Encuentro de Sociología de la Literatura, celebrado en la misma Universidad y promovido por la cátedra del doctor Ynduráin, en la que colaboraban estos jóvenes profesores; reunión que, por cierto, sirvió para dar a conocer un estado de la cuestión en España que se caracterizaba por la pluralidad de puntos de vista que se introducían (algunos con calzador) bajo el rótulo de «sociológico». Poco más de un año después, la madrileña Casa de Velázquez convocó una reunión con el título de «Creación literaria y público en las literaturas en lengua española» (*Creación...*, 1974), que puso de relieve la solidez de los hispanistas franceses que acudieron a ella frente a una notable dispersión en el grupo de profesores españoles.

De otra parte, hay que señalar la explosión de la «moda Goldmann» que a finales de los años 60 era un reguero de pólvora en las facultades de letras españolas, lo que hizo del importante sociólogo de la Escuela de Altos Estudios Prácticos de París el autor más citado del congreso de Zaragoza y el más monográficamente tratado (por decirlo así) en esos años, aunque desde diversas perspectivas. Aparte de estudios como el de Pizarro (1970), Berenguer (1971) o Garrido Gallardo (1973), hay una exposición extensa por parte de J. I. Ferreras (1971), de la teoría que él mismo aplica en una serie de aproximaciones concretas a la historia de la literatura española a partir de 1970 (cfr. Ferreras, 1970).

En tercer lugar, podemos consignar los estudios de J. C. Mainer en los que se trabaja sin un método sociológico dogmáticamente asumido, pero se busca siempre la iluminación mutua de literatura y sociedad (en todo caso hay una cierta inspiración goldmanniana) en cuestiones como *Literatura y pequeña burguesía en España. Notas, 1890-1950* (1972), obra a la que se le achaca una excesiva confianza en el poder explicativo del concepto «pequeño burgués», asumido a través del libro de Augusto Da Costa Días (1966), abuso del que se separaría en *La Edad de Plata* (1902-1931). *Ensayo de interpretación de un proceso cultural* (1975).

Dentro de este apartado para trabajos «sociológicos», aludiremos por fin a los del catedrático de la Universidad de Zaragoza, doctor Pérez Gállego (1973-1975), ya que un adelanto de sus más recientes estudios fue presentado como «sociológico» en el simposio zaragozano de referencia. En todo caso, lo vario de sus fuentes (N. Frye, G. Lukács, V. Propp, etc.) y sus pretensiones desborda el estricto marco de cualquier concreta rutina sociológica de análisis literario para intentar una teoría integradora que vuelve sumamente hermética la propia exposición doctrinal para el no especialista. Por ejemplo:

> Igual que Chomsky habla de una «Semántica generativa», nosotros pensamos ahora en una «sociología generativa» que

> partiendo de los pequeños enunciados llegue a construir las «frases» más complejas. El proyecto, lleno de penosas dificultades, nos envuelve en la necesidad de una programación lineal que haga de cada acto una señal textual de cada progreso, un proceso. Con esa variedad de rumbos habremos llegado a una cima desde la que se comprende una libertad de elección en cada frase. Esta imagen de la «alta entropía» de una sociedad que se refleja sobre su misma información debe dar «ejemplo nuevo» (1973: 210).

Llegamos ahora a referirnos a dos obras de conjunto especialmente sintomáticas. La primera es el volumen colectivo *El Comentario de textos* (1973), que, aparece como número 1 de la colección «Literatura y sociedad», dirigida por Andrés Amorós en la editorial Castalia (el título responde al auge de la sociología que acabamos de señalar: nótese que, inteligentemente, «literatura y sociedad» es rúbrica que puede acoger pluralidad de textos, desde los coloquios de la Casa de Velázquez mencionados hasta los estudios de Vicente Lloréns (1974), o los que ahora van a servirnos de referencia).

Pues bien, este volumen en el que colaboran la nómina casi completa de los principales profesores e investigadores españoles, pone de relieve dos cosas: la necesidad sentida, en la institucionalización académica de la Literatura en España, de dar un giro hacia nuevos modos de entender los estudios literarios (como lo demuestra bien a las claras la publicación de tres ediciones en poco más de medio año y la de un segundo y tercer tomo) y, a pesar de eso, la pervivencia mayoritaria de las técnicas tradicionales (comentarios histórico-literarios y estilísticos) a la hora de la práctica crítica.

Pero este volumen es «sociológico» no sólo porque ponga connotativamente de relieve la situación de la crítica académica, sino por la «cuestión previa» que inserta sobre «El lugar de la literatura en la educación», en la que Lázaro Carreter se explaya brillantemente sobre este tema en el contexto de la crisis de las Humanidades y, en aquel momento histórico español, de un cierto auge «tecnocrático» que amenazaba con aniquilar los estudios literarios en los planes oficiales de estudio.

Para conjurar ese peligro, el propio profesor Lázaro publica al año siguiente una encuesta sobre *Literatura y educación* (1974) que, globalmente, da impresión de pobreza teórica acerca de tan importante asunto si se comparan las colaboraciones recabadas de los más conspicuos profesores españoles y las que se habían publicado en Francia en volúmenes como *Que peut la Littérature?* (1963) o *L'enseignement de la Littérature* (1971) o, incluso, si se establece esta comparación con el propio discurso teórico de Lázaro Carreter incluido en el colectivo precedentemente citado.

Por supuesto que ambos libros encierran aportaciones valiosas que yo mismo he reseñado en otros lugares (cfr. Garrido Gallardo, 1974a), lo que quiero decir es que, en la situación actual, se puede advertir una dispersión de caminos teórico-críticos, algunos con experimentación, otros, sin ninguna y, hasta el momento de referencia, una cierta impermeabilidad en la práctica crítica académica a las novedades metodológicas.

«Todo lo demás» de estos años, podría quedar constituido por las siguientes cosas:

a) Introducción masiva de teorías literarias marxistas mediante traducciones ahora permitidas o manifiestos como los de «Comunicación» (1970), equipo que ha promovido también una estimable colección de traducciones de textos de Teoría de la literatura o del lenguaje de diversas procedencias, aunque con prólogos preorientadores que advierten posibles desvíos, por parte de los autores, de la línea histórico-materialista. Desde el manifiesto de «Comunicación» se anatemiza globalmente la producción editorial de Gredos, Castalia y la «crítica progresista» que estos años sigue publicando sus cosas por medio de A. Sastre (1970) o Castellet (1976), quien, por cierto, inserta en su último libro la comunicación que hizo al reiteradamente referido congreso de Zaragoza sobre «Crítica sociológica y sociología de la literatura», texto que, a veces, parece una traducción literal de un conocido artículo de C. Cases (1970). Otras obras inspiradas también en la teoría literaria marxista son las de M. Ballestero (1974), Luis Núñez Ladeveze (1974) y el discípulo de Althusser, Juan Carlos Rodríguez (1974).

b) Obras de introducción a un aspecto o al panorama global de la teoría literaria moderna como la *Métrica del siglo XX* (López Estrada, 1969) o los libros en tono de divulgación universitaria de Yllera (1974) o Garrido Gallardo (1975).

c) Estudios lingüístico-estructurales como el del profesor Alvar, incluido ahora con otros trabajos suyos en volumen de lectura crítica sobre *Cántico* (1976) o J. A. Martínez García, que en su voluminosa tesis doctoral sobre *Propiedades del lenguaje poé-*

tico (1975) avanza en actitud discipular (Hjelmslev, Alarcos, Salvador) sobre la constitución de una Poética glosemática para textos en español: algunos de los supuestos neorretóricos que ofrecen serán aportaciones valiosas para la necesaria formulación de una Teoría literaria (y/o Poética y/o Semiótica literaria y/o Retórica) adecuada a las producciones literarias en español.

1975-1980

Líneas más o menos tradicionales, la continuación o nuevos enfoques de trabajos estructuralistas y semiológicos y la apertura a la pragmática o a las instancias sociológicas para la consideración de la *literariedad* configuran esta última etapa.

La continuación de líneas ya cultivadas es patente en el libro de Alarcos (1976) que recoge trabajos anteriores de la misma aguda validez que los ya reseñados, y en los dos de Bousoño sobre el símbolo: *El Irracionalismo poético* (1977) que obtuvo el Premio Nacional de Literatura y *Surrealismo poético y simbolización* (1979).

Domingo Ynduráin publica su *Introducción a la Metodología literaria* (1979), parte de la «Memoria» teórica que es preciso redactar en España para optar a la plaza de profesor titular de literatura. Supone, pues, también un trabajo de años atrás en el que lo más interesante son las frecuentes acotaciones críticas que hace a la exposición de las teorías literarias que son moneda corriente entre nosotros: como dice Lázaro Carreter, ha llegado el momento de denunciar, con Mounin, una cierta estéril «tecnocracia» que se había ido adueñando de nuestro campo.

Quizás los libros de Amorós e Ibáñez Langlois, publicados en 1979 con el mismo título de *Introducción a la literatura*, sean reveladores de esa corriente «literaria» de los estudios literarios, aunque —hay que reconocerlo— en ambos autores tal postura viene de lejos y no sólo supone una reacción ante un concreto estado de cosas.

J. I. Ferreras publica una suerte de sistemática revisionista de la escuela de Goldmann en sus Fundamentos de Sociología de la literatura (1980) donde matiza y explicita las bases teóricas utilizadas en sus obras anteriores.

García Berrio publica, en dos gruesos tomos, su *Formación de la teoría literaria moderna* (1977, 1979) en que pone su erudición y sagacidad al servicio de la indagación interpretativa de las verdaderas «fuentes» de la Poética moderna. Destaca la nueva valoración de Horacio que en ellas se contiene. Dentro de esta vuelta a las disciplinas clásicas, cabría citar también el libro de K. Spang, *Fundamentos de Retórica* (1979), manual elemental para usos de estudiantes que ofrece una breve introducción histórica y un inventario de las «figuras» con nuevos ejemplos. La vuelta a la Retórica necesitaba efectivamente de una obra general.

El hecho hoy evidente de que el texto literario (como todo texto) es un *mensaje* o combinación de signos codificados de acuerdo con las reglas de un código condiciona implícita o explícitamente una gran cantidad de trabajos de los que ha dado cuenta recientemente Alicia Yllera (1979). De éstos, mencionaremos sólo aquellos que han visto la luz en forma de libros.

La profesora de Oviedo, María del Carmen Bobes sigue manteniendo su línea en prácticas analíticas narratológicas o semiológicas en general con especial atención al orden sintáctico y semántico. Así, en la *Gramática textual de «Belarmino y Apolonio»* (1977) y en el *Comentario de textos literarios* (1978) que recoge diversos artículos publicados precedentemente por la autora en diversos canales. Su discípula Joaquina Canoa ofrece también un trabajo de este estilo con el título explícito de *Semiología de las «Comedias bárbaras»* (1977).

Colectivamente (cfr. J. Taléns y otros, 1978) o de forma individual, un grupo de jóvenes profesores de Valencia sostienen una continua batalla en pro de los estudios semiológicos (literarios o no), que ha dado como fruto libros como *Diacronía y sincronía: la dialéctica del discurso poético* (1976) de J. Oleza, *El Comentario semiótico de textos* (1977) de Romera Castillo, o *Teoría de los signos* (1978) de A. Tordera.

Lázaro Carreter (1976a, 1976c) propone una investigación totalmente original en dos publicaciones recopiladas luego con otras en el libro *Estudios de lingüística* (1980). Se trata de una nueva hipótesis de caracterización formal del texto literario como subclase del mensaje literal, resultado de un comportamiento especial de la competencia lingüística que ofrece bloque de unidades inalterables en sus reglas de combinación. El lenguaje literal sería como «para ser esculpido», pero además, tendría, siempre según esta teoría, otra propiedad que explica muchas de sus propiedades: tener un *cierre* previsto.

La hipótesis que, como hemos dicho en otras partes (véase capítulos II y III), supone el último desarrollo que conozco del paradigma jakobsoniano, está bien construida: extiende la «función literaria» más allá del discurso rítmico y explica unitariamente fenómenos que entraban a formar parte de la «función poética» y otros que no. Se necesita ahora continuar la investigación sobre dos puntos: 1) el de la «competencia especial» que produce mensajes literales para ver si la subclase del mensaje literario se puede delimitar de manera no impresionista, 2) el de la demostración de que no sólo hay mensajes literales que son literarios (lo que es evidente), sino que formalmente no hay mensajes normalmente literarios que no sean literales. En la primera línea, trabajan en la actualidad el propio Lázaro (cfr., por ejemplo, los capítulos sobre refranes del libro recién mencionado) e Ignacio Bosque (1982); en la segunda me encuentro empeñado yo mismo (Garrido Gallardo, 1980b).

Además de la labor de comentario semiológico de textos de la doctora Bobes la propagación del marbete «semiótico» por parte del grupo de Valencia y la investigación sobre el *mensaje literal* en torno a Lázaro, se debe consignar el libro narratológico, aunque nada escolástico, de Ricardo Gullón (1979) y tres tesis doctorales de dos profesores de la Universidad de Murcia y uno de Oviedo: la de Vera Luján (1977) es un análisis narratológico de una obra de Francisco Ayala en el que, además de la labor analítica, se ofrecen algunos puntos metodológicos en esta línea; la de Pozuelo Yvancos (1979) en torno al concepto clave de «extrañamiento», tomado del Formalismo Ruso, unifica una rigurosa investigación de la lírica de Quevedo; y la de Rafael Núñez Ramos (1980) replantea metodológicamente las investigaciones clásicas sobre *El Polifemo.*

Hasta Pérez Gállego (1978) dedica un capítulo con el título explícito de «semiología» en el penúltimo libro hasta el momento de la serie en que va ofreciendo su investigación teórica.

La influencia de los estudios del folklore, la crítica literaria y ciertas gramáticas postgenerativas coincidentes en postular el texto como unidad de investigación de resultados cualitativamente diferentes al de la suma de los análisis de las frases, hace que se hable de «teoría del texto» tanto en el libro de conjunto de Mignolo (1978), elaborado desde una perspectiva formalmente semiológica, como en los trabajos de las escuelas centroeuropeas en las que se cuenta el español García Berrio y algunos de sus discípulos (cfr., por ejemplo, J. S. Petöfi y A. García Berrio, 1978).

Hemos de decir por fin que en esta etapa de crítica y decantación en que ya no aparece, por ejemplo, *Prohemio* u otras revistas del período 69-75, he promovido, junto con un equipo de jóvenes investigadores del C. S. I. C., que la *Revista de Literatura*, tradicionalmente histórica, erudita y documental, acoja también ahora estudios teóricos y críticos de base teórica explícita.

De la rápida crónica efectuada hasta aquí (que no habla de los movimientos a favor de la literatura comparada, ni de algunas valiosas aportaciones aisladas, ni de otras muchas cosas) se desprenden, a nuestro juicio, cinco etapas en la configuración de la teoría literaria vigente actualmente en España, correspondientes a las que los historiadores han señalado en nuestra historia política reciente, aunque —como es natural— con vacilaciones en los años fronterizos, ya que los hechos sociales y culturales no se producen de golpe.

Si esto es verdad, podría ser rico en consecuencias para una sociología literaria o, al menos, de la teoría literaria. No es nuestro propósito extraerlas aquí.

Nos limitaremos, pues, a apuntar una caracterización general de cada una de ellas.

1) Etapa del predominio de la Estilística que va desde 1940 hasta 1956; y en la que esta estilística, posiblemente gracias a su asepsia analítica («ataque lingüístico» y «étimon espiritual»), puede estar en la calle en la inmediata posguerra sin posible competencia de las teorías con más incidencia en la crítica social, porque ésta (la crítica social) primero es imposible y, después, se intenta ejercer en la vida pública por otros cauces en la «primera apertura» (1951-1956) del régimen.

2) Etapa del florecimiento de la «crítica militante», que comprende desde 1956 a 1962, y que coincide con la búsqueda por parte del régimen de formas de gobierno «técnicas» que parecen no implicar problemas políticos. Estas posturas estarán vigentes todavía en el simposio sobre realismo de 1963, pero la inviabilidad de encauzar por este lado la crítica política se tornará evidente según avanza la etapa.

3) Etapa del cultivo de los formalismos estructuralistas, que coincide con el triunfo en la vida pública de los intentos de crecimiento económico y asentamiento del régimen sobre bases de una cierta estabilidad jurídica.

4) Etapa de la semiología y el crecimiento cuantitativo de los estudios de Teoría literaria, sin duda posibilitado, entre otras causas, por el desarrollo económico más o menos consolidado; y del pluralismo ideológico de las claves teóricas, posible ahora por la tolerancia (eso sí, arbitraria y zigzagueante) que diversos representantes del poder político adoptan con relación a la cultura.

5) Etapa de revisión de la crítica «tecnológica», en que, a pesar (o a partir) de desarrollos como las Teorías del texto y la atención a la pragmática, está apareciendo una crisis de la conciencia «tecnocrática» de la crítica literaria, lo que hace que, sin abandonarse totalmente los instrumentos analíticos del estructuralismo y la semiología, se vuelva a poner de relieve la importancia que tiene la capacidad personal en la interpretación literaria, enlazándose así con los aspectos más positivos de las escuelas filológicas de principios de siglo.

LAS FUNCIONES EXTERNAS DEL LENGUAJE

El cuadro jakobsoniano de las funciones del lenguaje, llamadas aquí, siguiendo a J. A. Martínez (1975: 107), externas para no confundirlas con las funciones (internas) que contraen los elementos del enunciado entre sí posibilitando la función (externa) designativa, se ha divulgado notablemente entre nosotros y constituye hoy paradigma obligado de la explicación de ciertos fenómenos lingüísticos en los manuales que se ofrecen en todos los niveles de la enseñanza.

Puede resultar paradójico, pues, que tantos años después de la conferencia de R. Jakobson (1958) [1] en el archiconocido simposio de Bloomington volvamos ahora sobre el mismo tema. Sin embargo, creemos pertinentes las siguientes reflexiones por varias razones.

De una parte, la divulgación del paradigma realizada de manera masiva y por autores de diversa preparación no está exenta de imprecisiones y hasta errores de bulto en muchos de los libros a los que antes aludíamos; de otra, la fertilidad explicativa del paradigma jakobsoniano ha reclamado hasta nuestros días una continua crítica en cuya historia están presentes aportaciones españolas como las de J. A. Martínez García (1975: 107-155), R. Trujillo (1976: 17-36) y F. Lázaro Carreter (1971, 1975, 1976a, 1976b, 1976c, 1980); finalmente, la sustitución de la metodología de base en que se sustentan por otras ajenas al cuño estructuralista funcional invita en esta cuestión —como una más— a la revisión de sus postulados básicos.

Lo que pretendemos mostrar en estas páginas es que la brillante y fértil propuesta de Jakobson no ha sido desmontada ni en todo ni en parte por sus críticos posteriores si se hace del texto

[1] Publicada en varias colecciones a partir de 1960, además de en la selección de textos del Congreso hecha por Th. A. Sebeok bajo el título de *Style in language*.

objeto de la crítica una lectura en situación, y considerándolo desde su propio paradigma científico, único en el que puede encontrar sentido. Precisamente —y lo queremos también señalar aquí— dicho texto supone la apertura máxima posible (desde una lingüística reductoramente lingüística) para conseguir poner de relieve las carencias extensionalistas de la teoría. Esto no quiere decir que se pueda estar en posesión pacífica de la propuesta sin matización alguna, como lo hace, abusivamente a nuestro juicio, la monografía de Holenstein (1975: 180-194).

Ante todo, hay que insistir una vez más en que Jakobson ofrece la doctrina sobre las funciones del lenguaje en el marco de la clausura de un simposio sobre el estilo y que, de alguna manera, el objeto condiciona la configuración total del texto: en efecto, toda la intervención responde a la petición de que «haga unos comentarios resumiendo la relación que hay entre la poética y la lingüística. En primer lugar, aquélla se ocupa de responder a la pregunta: ¿Qué hace que un mensaje verbal sea una obra de arte? El objeto principal de la poética es la diferencia específica del arte verbal con respecto a otras artes y a otros tipos de conducta verbal; por eso está destinada a ocupar un puesto preeminente dentro de los estudios literarios» (Jakobson, 1958: 126).

También hay que señalar que, resumiendo diversas opiniones manifestadas en el simposio, el discurso recoge con afán ecléctico una terminología a veces imprecisa fruto de la larga historia —desde supuestos distintos— de las funciones del lenguaje explícita o implícitamente reconocidas desde los antiguos (cfr. Mounin, 1967). Puestos, pues, a analizar lo que se nos dice, será necesario señalar con precisión en qué claves ha de ser descodificado el mensaje cuyas piezas léxicas suministran «efectos por evocación» (cfr. Bally, 1921: 203-23) de diferentes escuelas. Afortunadamente ello no es difícil. La oposición lenguaje referencial/lenguaje artístico es básica en la doctrina del formalismo ruso [2], está recogida en las tesis de Praga y perfilada progresivamente por R. Jakobson (con un cierto paréntesis en su primera etapa norteamericana) de manera que no cabe abrigar dudas sobre qué quiere decir cuando amplía el estudio de estas dos «funciones» al marco de

[2] Para el conocimiento global de esta escuela sigue siendo lo mejor el libro de Erlich (1955). Es preciso también leer con atención a García Berrio (1973).

las funciones del enunciado en virtud de los elementos presentes en la enunciación.

¿Qué se debe entender por «función»? Esta es la cuestión clave. Si entendiéramos «función» en el sentido de todo aquello para lo que puede servir algo, el inventario de las funciones del lenguaje sería teóricamente ilimitado y de nada o casi nada serviría la categoría de función [3]; frente a esto, la delimitación de Jakobson al señalar los elementos esenciales de todo acto de comunicación (emisor, mensaje, receptor, referente, contacto o canal y código) fundamenta objetivamente un número cerrado de funciones.

Así cuando, por ejemplo, Dámaso Alonso (1950: 606-607) habla de «función imaginativa» del lenguaje afirmando que «el lenguaje tiene la posibilidad de intensificar representaciones sensoriales (auditivas, visuales, etc.) que se asocian a esa, al parecer, simple ligazón conceptual», está señalando un tipo de servicio del lenguaje, pero —por lo que hace a la teoría de las funciones— su función no es más que una de las formas de manipulación del mensaje correspondiente al desarrollo de la que fue llamada por Jakobson función poética. Igual pasa con la función mágica (connotativa de tercera persona), lúdica (García Calvo, 1958), que no es lingüística o es fundamentalmente fática, etc.

Claro que, como veremos más adelante, el inventario sería sólo convencionalmente cerrado si, como quieren algunos, todas las funciones son (denotativa o connotativamente) designativas.

Jakobson afirma que «cada uno de esos seis elementos determinan una función diferente del lenguaje. Aunque distinguimos seis de sus aspectos básicos, apenas podríamos encontrar mensajes verbales que realizasen un cometido único. La diversidad no se encuentra en el monopolio de una de estas funciones varias, sino en un orden jerárquico diferente. La estructura verbal del mensaje depende, básicamente, de la función predominante» (1958: 131).

Retengamos para lo sucesivo dos afirmaciones: el carácter básico de los elementos de la comunicación en la determinación de las funciones y la relación entre estructura verbal y función predominante. Hay que decir, desde ahora, sin embargo, que no se

---

[3] Así lo manifiesta D. François (1969). Casi a la letra lo comparte R. Trujillo (1976) ya citado. «Función» igual a «uso» sí tiene sentido en otros paradigmas (cfr. Searle, 1969).

trata de identificar tipos de frase con funciones porque —como ha señalado sagazmente Mounin (1967: 406)— «si la afirmación y la interrogación manifiestan funciones distintas del lenguaje ¿por qué la negación —juego de lenguaje capital a los ojos de los lógicos, transformación fundamental también para los lingüistas— no figura en el repertorio de las funciones, sobre todo si se tiene en cuenta las marcas formales universalmente presentes en su manifestación, lo que no es siempre el caso de la interrogación (formas indirectas)?» [4].

Con estos datos y no existiendo en el cuerpo de la ponencia una definición explícita de función (se habla de «orientación» —*Einstellung*— del mensaje hacia los demás elementos de la enunciación), proponemos que se entienda que función es la relación que el enunciado puede contraer con cada uno de los elementos del proceso de la enunciación de tal manera que el mensaje se da como tal en su especificidad (formal y/o semántica) porque existen dichos elementos y se puede caracterizar por la huella que algún o algunos de ellos le dejan impresa. El mensaje está «en función de» referente, emisor, receptor, etc.

La propuesta que acabamos de hacer creyendo interpretar rectamente a Jakobson carece de sentido si se considera, como lo hace Martínez García (1975: 132), que «el rasgo común a todas ellas (las funciones) es el hecho de que, en cualquiera de los casos, el mensaje o discurso aporta informaciones semánticas acerca de los demás elementos». El profesor español cree poder deducir esto de dos datos: la afirmación de Jakobson, hecha en el contexto de la llamada función emotiva, acerca de que «si analizamos el lenguaje desde el punto de vista de la información que contiene no podemos restringir la noción de información al aspecto cognoscitivo» (Martínez García, 1975: 131); y el hecho de que aparezcan en un mismo conjunto la función llamada referencial, de claro valor designativo y basada en las funciones internas del lenguaje, y las demás funciones.

Si aceptáramos dicha propuesta, quedaría invalidada la práctica totalidad de la construcción, objeto aquí de análisis. En efecto: como dice F. François (1968: 12), «el interés de la clasificación propuesta por R. Jakobson viene de que busca fundamentarla no sobre una lista de usos sino sobre el inventario de los elementos

[4] En este y en los demás casos de citas de originales en otras lenguas, la responsabilidad de la traducción (a veces muy libre para conservar la coherencia estilística) es del autor de este volumen.

necesarios a toda comunicación», pero si todas las funciones no hacen más que ser designativas (denotativa o connotativamente) carece de importancia distinguir entre la designación de un referente cualquiera y la de los referentes «bien clasificados» que son los cinco elementos (emisor, mensaje, receptor, código y canal o contacto).

De una lectura como ésa se deduce obviamente que el paradigma de las funciones es trivial y que el postulado de la función que mira hacia el mensaje mismo es erróneo por cuanto todos los mecanismos que dependen de esta función (los analizados por Jakobson y los que se pudieran añadir) no tienen valor designativo.

Ante esta objeción, cabría razonar que no hay indicios suficientes para pensar que toda función (aun prescindiendo de la poética) tiene valor designativo. Así, por ejemplo, cuando la función apelativa (función-señal en el *organon* bühleriano (cfr. Bühler, 1934: 69-75) tiene como marca en el mensaje un diminutivo («una limos*nita* por el amor de Dios») (cfr. Alonso, A., 1935: 170) no aparece información semántica alguna sobre el receptor o aspecto suyo, aunque obviamente el mensaje está en función de que éste existe y es preciso ablandarlo. En todo caso, bastaría con decir que el tomar una interpretación indicial que lleva a descubrir como incoherente toda la teoría es un mal camino [5]. Parece más lógico inducir del estudio de todas las afirmaciones un modelo que explique satisfactoriamente el sistema, aunque como todo modelo esté siempre abierto a su posible refutación y reformulación.

Ninguna objeción existe con respecto a la función referencial. Justamente función fundamental establecida en el estructuralismo. Como dice Mounin (1967: 403), «la existencia de la función comunicativa del lenguaje está fundada sobre un conjunto riguroso de criterios lingüísticos formales, los que han fundado la lingüística funcional y estructural actual: función distintiva de los fonemas y de los monemas, verificada por la conmutación, es decir, por el comportamiento en la comunicación. Nos encontramos aquí en el núcleo del funcionamiento del código lingüístico. No se puede renunciar al concepto de función comunicativa del lenguaje sin renunciar a todo lo que constituye la aportación original de la lingüística actual». No hay inconveniente en llamarle a ésta función primaria y funciones secundarias a las demás (cfr. Guiraud, 1968) porque ni las escuelas más formalistas y alge-

[5] Nos parece que en este desenfoque cae, entre otros, J. Culler (1975).

braicas pueden negar la importancia del aspecto semántico denotativo del lenguaje; en principio, todo signo lo es de otra cosa.

El itinerario de Jakobson queda pues, establecido en tres grandes pasos [6] (lo que no quiere decir que guarden este orden en su manifestación concreta): la función referencial (o designativa) es delimitada como consecuencia del adelanto que supone considerar el lenguaje como un instrumento de comunicación tal como lo explican las escuelas en la línea de la fonología de Praga; la orientación del mensaje hacia sí mismo (primitivamente, función estética) se deriva de la comprobación de que existen rasgos del mensaje no orientados a comunicar el *signatum*, sino a hacer fijar la atención en la entidad del propio *signans;* el cuadro de las funciones se deduce de la íntima relación de las dos observadas con dos elementos del proceso de comunicación: teóricamente se podrá postular, por consiguiente, nuevas funciones o relaciones del mensaje con cada uno de los demás elementos. Ello, por supuesto, no invalida la distinta consideración estadística y de rendimiento operacional que quepa atribuir a cada una de las funciones.

Digamos, por fin, que la presencia connotativa en el mensaje de información semántica sobre el emisor, receptor, código, contacto y mensaje mismo debe ser considerada en las respectivas funciones cuando se da porque tales elementos existen de una manera específica (y no como otro referente connotado cualquiera), la de elemento interior en el proceso de comunicación [7].

Sin hacer cuestión de lo puramente terminológico (se ha discutido sobre el acierto de llamar, como lo hace Jakobson, «función afectiva» a la relación entre mensaje y emisor), cabe señalar la unánime coincidencia en atribuirle el carácter de básica junto con la referencial y apelativa.

---

[6] Aunque estén publicadas sus obras completas y republicados sus artículos infinidad de veces en diversas lenguas, puede ser útil seguir cronológicamente su itinerario científico en lo que a esta cuestión se refiere, consultando su compilación de trabajos *Question de poétique* (1973). Por otra parte, el «Postscriptum» de esta recopilación, defendiéndose de las críticas hechas a diversas posturas suyas (y, en concreto, al tema de las funciones que aquí nos ocupa) ha sido recogido junto con una colección de artículos de sus detractores en Vidal Beneyto (comp.), 1981.

[7] No se trata de que el elemento *código* (inglés), por ejemplo, está «designado connotativamente» en la expresión «Para las finanzas la cuestión es *to be or not to be* como dijo Hamlet», sino de que el mensaje se centre en el código mismo. Así, «quirotecas son guantes» es un mensaje, resultado de hacer presentes relaciones internas del código. Vid. la postura que se discute en Martínez García (1975: 136-140).

La evidencia de esta función-síntoma que llega a anular a veces en el mensaje toda referencia designativa que no sea la expresada connotativamente acerca del emisor mismo ha sido aceptada tan generalmente que no hay autor que no la acoja y ofrezca ejemplos de ella.

Pude observar en una ocasión cómo un transeúnte se acercaba a una chica y le musitaba algo al oído; ésta volviéndose hacia él, exclamó: *¡bicho!* He aquí, me dije, un claro ejemplo de mensaje que no ofrece más información semántica que la connotada de indignación del emisor sin que haya posibilidad alguna de descodificarlo en su literalidad referencial de «animal de pequeño tamaño». Claro es que hay un proceso metafórico subyaciendo, pero también es clara su ininteligibilidad si no es conectado con el sujeto del proceso de la enunciación. Podemos afirmar con Bally que la existencia de esta función (como se recordará, Bally no emplea el término «función») es tanto más evidente cuanto que hay mensajes que la cumplen como única. La objetividad de la función queda resaltada si se admite la existencia de útiles lingüísticos especializados (en este caso, las interjecciones) y la posibilidad de descubrir códigos convencionales (aunque reducidos y rudimentarios) especializados en dicha función.

La posibilidad de una fonoestilística fonológica esbozada por N. S. Trubezkoy en sus famosos *Grundzüge* abona el carácter lingüístico formal del fenómeno, puesto que se pueden rastrear en muchas lenguas convenciones afectivas ligadas sistemáticamente a fenómenos lingüísticos. Así, se puede ejemplificar con el alargamiento de consonante y vocal que aparece en alemán cuando se pronuncia afectivamente *schön* o el acento de intensidad dislocado con que se expresa la impresión que puede acompañar en el emisor la denotación en francés de *épouvantable.*

Hay que notar que los rasgos de estos códigos fonoestilísticos distan de la precisión del conseguido con la doble articulación propia de la función referencial. En *¡bicho!*, encontramos el rasgo de entonación y, si se quiere, el de elipsis, que es común a muchas manifestaciones expresivas diferentes (indignación, sorpresa, etcétera). Por otra parte, resulta virtualmente imposible llevar a buen término la tarea propuesta por Trubezkoy de distinguir entre fonoestilística expresiva y apelativa. El afirmar hasta qué punto *¡bicho!* refleja indignación o es un útil arrojado al receptor para que se aparte y deje de molestar corresponde a una interpretación psicologista no sólo sin base lingüística sino también sin manifestación alguna en el lenguaje.

Decíamos antes que la función conativa no es siempre designativa del receptor. Si aceptamos como expresiones del lenguaje especializadas en esta función el vocativo y el imperativo; en el segundo caso, la información semántica del mensaje es ajena totalmente a aquél a quien se dirija; sin embargo, sólo porque éste existe, en tanto que receptor, se puede construir fórmulas del tipo *ven, oye;* pero, aparte de la connotación trivial por consabida de que existe un receptor, lo que estos mensajes muestran es una formalización en virtud de la estructura básica del proceso de comunicación: emisor-mensaje-receptor. Y lo mismo ocurre cuando la huella en el mensaje no llega a ser una forma especializada como sugeríamos en la utilización del diminutivo conativo.

Dos dificultades fundamentales han señalado los especialistas en torno a esta cuestión: la dificultad (a mí me parece imposibilidad, ya lo he dicho) de delimitar entre función expresiva y conativa en muchos casos y la no coincidencia del esquema funcional y el de clases de oraciones. La objeción de Mounin que transcribíamos antes refiriéndose a este respecto me parece plenamente justificada.

No obstante, mirando desde otra perspectiva, hay que afirmar que si a cada tipo de frase no corresponde una función, la existencia de las frases interrogativas responde a una cierta especialización en la función conativa del lenguaje como las afirmativas y negativas se asientan de un modo primordial en la función referencial.

La función fática que contrae el mensaje con el canal puede, según Jakobson, incluso ser dominante en algunos enunciados pues «existen mensajes cuya función primordial es establecer, prolongar o interrumpir la comunicación para comprobar si el canal funciona» (Jakobson, 1958: 134).

Nada tiene de extraño que esta función, resultado de la ampliación a que Jakobson somete el esquema de tres, haya sido recibida con diversas reticencias que pasamos a comentar.

Digamos en primer lugar que el nombre de fática, tomado de Malinovsky (1923: 334-35), está empleado en el trabajo del antropólogo en sentido bastante diverso del que resulta al ser integrado en el nuevo paradigma. En efecto: lo que este autor desea demostrar, al fijarse en las situaciones lingüísticas sin específicos contenidos comunicativos, es que «el lenguaje nos aparece en esta función no como un instrumento de reflexión, sino como un modelo de acción» (pág. 335). Mientras que lo que Jakobson nos dice es que el mensaje se puede ver afectado por la necesidad de comprobar en el proceso de comunicación que se mantiene el contacto entre emisor y receptor o, dicho con una metáfora cibernética, que se mantiene abierto el canal. La crítica contra estos conceptos se ha centrado en los siguientes puntos:

a) Martínez García afirma que no queda muy claro lo que Jakobson designa con los nombres de contacto y mensaje. «Influido por la cibernética, unas veces identifica contacto con "canal" y mensaje con "contenido"; pero en otras ocasiones parece sugerir que el contacto equivale al "acto de comunicación" y mensaje a lo que nosotros hemos llamado "discurso" (1975: 130). Esta objeción se puede remontar con facilidad porque, ciñéndonos a los límites concretos del texto estudiado y viendo qué es lo compatible con el marco teórico (insistimos: no tiene sentido intentar aferrarse a la interpretación con la que la teoría pueda resultar inválida) mensaje es igual a «texto» o «discurso» (no a «contenido») y contacto a posibilidad de que se establezca de hecho la comunicación, o sea, que el canal funcione.

b) Según el mismo autor, la función fática se diluiría en las funciones conativas y emotivas: «las fórmulas de saludo, de llamar la atención, de preguntar por la salud, de comentar el tiempo, los diálogos de enamorados, etc., se dirigen a conseguir una reacción (verbal o extraverbal) del receptor mediante la manifestación de actitudes (interés, afecto, benevolencia, cariño, etc.) del emisor» (ibíd., 134). Tal objeción no cabe en nuestra interpretación. Sin meternos en los arcanos psicológicos de por qué los humanos (primitivos o civilizados) buscan esa «comunicación fática», es claro que muchos de estos mensajes no presentan huella alguna del emisor o del receptor (cfr. Fries, 1969: 42-51) mientras que, en muchos casos, funcionan como apertura del canal abriendo paso a otros mensajes en que las anteriores funciones se ejercen.

c) Según Mounin, resulta frágil el tener que admitir como «criterio de una utilización fática de unidades que tienen generalmente otra función propia (...) el hecho de que su emisión no interrumpe al locutor (...) siendo tales encabalgamientos frecuentes sin ninguna intención fática» (Mounin, 1967: 408). Aunque esto es así, hay hechos, límites si se quiere, que avalan la existencia de mensajes mediatizados por su carácter fático. Si en una conversación en la que ha estado repitiendo cíclicamente *sí... sí... sí,* el interlocutor interrumpe (ahora sí) para decir: *no, no estoy de acuerdo en absoluto,* queda claro que el mensaje anterior no ha tenido otra función que la de señalar el mantenimiento del contacto.

Insistamos, de paso, en que el afán por aislar mensajes que sólo cumplan una función de las inventariadas se hace no porque sea fundamental sino porque muestra a *fortiori* la presunción de su posible presencia en diverso grado junto a la función dominante, normalmente la referencial. Digamos también que la función puede tener existencia objetiva aunque en una lengua natural dada no haya la posibilidad del mensaje formalmente especializado en ella.

Jakobson afirma que siempre que el hablante y/o el oyente necesitan comprobar si emplean el mismo código, el habla fija la atención en el código: representa una función metalingüística (1958: 135) o sea, postula también como función del lenguaje la relación entre mensaje y código.

La llamada «frase ecuacional» («la yegua es la hembra del caballo») se presenta como típica de esta función, que concentra las reticencias de los críticos del paradigma. En efecto, formalmente hablando, la «frase ecuacional» de Jakobson (la definición) no es distinta de otras frases como *la cornucopia es un adorno cursi* si no es bajo un criterio estrictamente semántico.

Es cierto que, como recuerda Mounin (1967: 409), la única diferencia aislable formalmente es la ya vista por los lógicos al distinguir «uso» y «mención» de la unidad lingüística. Entre los ejemplos *la casa es verde* y *«verde» es un adjetivo* hay una distinción que incluso implica una marca (las comillas), pero evidentemente se trata de un fenómeno marginal [8].

---

[8] R. Trujillo, siguiendo a F. François, y en la línea de concebir que el lingüista debe quedarse solamente en lo formal (forma de contenido y forma de la expresión), entendiendo formal en un sentido muy restrictivo, critica duramente la existencia de esta función. Dice: «Si la orientación recae sobre el código, es decir, si el lenguaje se emplea para hablar del código mismo o para aclarar algún aspecto de éste, piensa Jakobson en una función metalingüística. Frases como *«con» es una preposición y «más» es un adverbio* desempeñarían esta función. El idioma puede volverse sobre sí mismo, hacerse objeto de sí mismo. ¿Pero es ésta una verdadera función o, simplemente, una posibilidad entre muchas? ¿Posee alguna lengua condiciones objetivas especializadas únicamente para esta función? Nos parece que no. El hecho de

Pienso, a pesar de todo, que el reconocimiento de esta función conserva un cierto rendimiento. De una parte, la connotación del elemento *código* en las frases definitorias es de carácter intrínseco al proceso de comunicación; de otra, determinados discursos (gramaticales, lingüísticos, crítico-literarios...) se podrían tipificar en virtud de la mayor o menor presencia, en su elaboración semántica, del código sobre el que actúan.

Si hemos prescindido de las discusiones terminológicas hasta ahora, es necesario a continuación aludir a los problemas que suscita el mismo nombre de función poética, expresión con la que Jakobson designa la orientación hacia «el mensaje como tal» (1958: 135).

Recordando lo que decíamos al principio, hay que tener en cuenta el contexto en que (sincrónica y diacrónicamente) se inscribe el paradigma de las funciones y entender así que haya una cierta distorsión encaminada a utilizarlo con una capacidad explicativa que no tiene, identificando la posibilidad que tienen los mensajes de ser opacos (orientación del mensaje hacia sí mismo que se patentiza por diversos procedimientos) [9] con la de construir unos mensajes rítmicos en particular o artísticos en general.

Ya advierte Jakobson que la «función poética» está enraizada en mecanismos básicos de la comunicación y no debe reducirse a la poesía. Con sus palabras: «(la función poética) no puede estudiarse con efectividad si se la aparta de los problemas generales del lenguaje o, por otra parte, el análisis de éste requiere un análisis profundo de la función poética. Cualquier intento encaminado a reducirla a poesía o viceversa constituiría una forma engañosa de simplificar las cosas al máximo. Esta función no es la única que posee el arte verbal, pero sí es la más sobresaliente y determinante, mientras que en el resto de las actividades verbales actúa como constitutivo subsidiario y accesorio» (1958: 135-136) y más adelante insiste: «Como hemos dicho el estudio lingüístico de la función poética debe sobrepasar los límites de la poesía y, por otra parte, el análisis lingüístico de ésta no puede limitarse a aquélla» (ibíd., 137).

---

que pueda haber palabras destinadas a este fin no prueba nada, ya que con base en el sentido concreto de las palabras podríamos establecer infinitas funciones» (1976: 31-32). Transcribimos tan larga cita porque nos parece sintomática del punto de vista que adoptan determinados hjelmslevianos que, desde su posición, se acercan a este paradigma.

[9] La denominación de «lenguaje opaco», la tomamos de T. Todorov (1967: 217-218) en un sentido que se precisa contextualmente en nuestro trabajo.

Evocando el concepto de función dominante tan caro al formalismo ruso considera esta función como «la más sobresaliente y determinante» en los textos poéticos. Ahora bien, los mecanismos que configuran esta función (concretamente la recurrencia) no son los únicos que el emisor tiene para la formulación del texto auto-orientado, el texto opaco.

No se trata ahora de hablar sobre los mecanismos que la Retórica de todos los tiempos [10] ha detectado en ese intento de llamar la atención sobre el propio texto antes que sobre el referente. Hay que decir, sin embargo, que el mecanismo señalado por Jakobson y aplicado, entre otros, por Levin (1962) es verdaderamente operativo por más que algunos lo hayan objetado por la imprecisión que supone el afirmar que ciertos elementos están «previamente relacionados en el paradigma». En todo caso, aunque la noción de paradigma [11] es distinta en el distribucionalismo y en la glosemática, por ejemplo, intuitivamente podemos afirmar la relación previa en frases como *I like Ike* (relación de sonido) o *música callada* (relación de sentido).

Martínez García, en consonancia con la lectura de que parte, considera que mientras que la especificación jakobsoniana de las otras funciones del lenguaje es confusa, en la delimitación de la función poética hay un error. Hace notar lo siguiente:

«1.º que no todos los textos poéticos son textos desviados;
2.º que no todos los textos desviados son poéticos, y
3.º que este atraer la atención u orientarse hacia sí mismo no es un modo de designación como lo son las otras funciones comentadas» (1975: 143).

Al hablar Martínez García aquí de «desviación» lo está haciendo en un sentido amplio que apruebo (cfr. Garrido Gallardo, 1974c). El mecanismo señalado por Jakobson, como otros que no son abordados en el estudio cuya exégesis hacemos, suponen una desviación del uso estándar por definición: si el mensaje reclama la

---

[10] La década de los 70 se ha caracterizado por una masiva vuelta a la Retórica. Se abre con la publicación de un intento globalizado sobre el que, por adhesión o refutación, se ha montado una copiosa bibliografía. Me refiero a la del grupo μ (Dubois y otros, 1970). Por otra parte, no hay obra de conjunto que omita su referencia (cfr., por ejemplo, Garrido Gallardo, 1974b) y empiezan a existir prácticas críticas que insisten en esta dimensión (cfr. Roldán, 1974).

[11] *Paradigma* está entendido, en este último párrafo, en el sentido técnicamente lingüístico y no en el que toma en el marco de la Teoría de la ciencia.

atención sobre sí mismo será porque el descodificador encuentra elementos sorprendentes, o sea desviados con respecto al horizonte de expectativas o norma con que se enfrenta. No obstante, las dos primeras objeciones lo que hacen —con razón— es tan sólo subrayar las advertencias de Jakobson más arriba transcritas y, en el fondo, plantean una cuestión en cierto modo terminológica, la sexta función existe, pero no es «poética».

Sin embargo, dándole a «poética» el sentido preciso de generadora de textos opacos (se acepte o no el nombre), queda cerrado el cuadro de dominancias posibles en los mensajes verbales en relación con los seis factores del proceso de comunicación. Permanece como problema derivado el de medir el rendimiento que esta función tiene para aislar mensajes artísticos, pues puede haber mensajes bajo esta dominancia que no sean artísticos (políticos, publicitarios, etc.), que se discriminan por su finalidad pero no por su lenguaje, y puede haber mensajes de otras dominancias que sociológicamente se reciban como estéticos [12].

La tercera objeción es ampliada por Martínez García diciendo que «en cualquiera de los casos, atraer la atención sobre sí mismo (función poética) no es designar y, por consiguiente, la orientación del discurso hacia sí mismo es una función muy diferente de las que se establecen entre discurso y emisor, receptor, código, etcétera. La función poética no es, pues, una función del mismo tipo que las otras consideradas» (1975: 143).

Como se recordará, el equívoco proviene aquí de que el profesor español ha considerado que toda función es necesariamente «designativa», pero todas las objeciones se disipan si más de acuerdo con el cuadro teórico que analizamos, afirmamos que las funciones se traducen en la huella formal y/o semántica dejada en el mensaje por su orientación a cada uno de los elementos del proceso comunicativo. La sexta función no es primariamente designativa como no lo son las demás, salvo la que lo es por definición, porque se refiere a la relación del mensaje con el *designatum*.

Riffaterre llama a esta función estilística o «formal» (1971: 145-158) [13] y acierta a señalar, fuera de la preocupación por las

---

[12] He defendido desde hace tiempo esta postura (cfr. Garrido Gallardo, 1975: 68, 110, 112-113 y 123-124) ampliamente compartida en la actualidad. El propio T. A. van Dijk (1977) ha dado un giro con respecto a las afirmaciones más radicales de, en su momento, famosa tesis doctoral (1972: 184-188).

[13] En nota añadida por el autor para la edición del trabajo (publicado anteriormente como artículo) en este volumen de recopilación, expone: «la diferencia entre *poética* y *estilística* no tiene nada de gratuita. Pero hoy, para evitar vincular la terminología a tal o cual teoría de la literariedad me incli-

estructuras poéticas en que la descripción de la función potenciadora del mensaje estaba encerrada, cuál es su caracterización. Dice: «la forma no puede atraer la atención por sí misma si no es específica; es decir, si no es susceptible de ser repetida, memorizada, citada. Si fuera de otra manera, el contenido sería objeto primario de la atención y podría ser repetido en otros giros equivalentes. La forma es preeminente porque el mensaje y su contenido perderían su especificidad identificable y forzosa si se cambiase el número, el orden y la estructura de los elementos verbales» (ibíd., 148).

Lázaro Carreter que acepta *imo pectore* los presupuestos de Jakobson, al enfrentarse con la situación en que queda la teoría de la lengua literaria ya que, como venimos viendo, «la función poética no es exclusivamente poética y por tanto no es distintiva» (1976b: 72), propone que «tal vez en la distinción entre una clase de lenguaje fungible y otro destinado a la reproducción literal está la solución de algunas dificultades en que hoy se halla el sistema jakobsoniano» (ibíd., 73) y apuesta, en consonancia con la línea que intuye una relación de los mensajes especialmente manipulados y el lenguaje artístico, por la hipótesis de que éste debe estar constituido por alguna subclase de mensaje «literal» o sea, que «la obra literaria, en función de que debe mantenerse inalterada y ser reproducida en sus propios términos, se cifra o escribe en un lenguaje especial cuyas propiedades generales se insertan en las del lenguaje literal y cuyas propiedades específicas deben investigarse» (1976a: 43).

Hemos llegado a la conclusión de que la función del mensaje consigo mismo no es «poética» ni «estética», sino simplemente «de opacidad». Ahora tenemos que preguntarnos, ante la indagación de Lázaro: 1) si dentro de todos los mensajes opacos hay unos especiales, los «literales», 2) si es en el seno de estos mensajes donde cabe buscar aquellos cuyas propiedades específicas literarias hayan de concretarse.

---

naría a hablar simplemente de función formal» (pág. 148, nota 2). La adopción del término «formal» presenta la ventaja de subrayar el carácter diferenciador de esta función, marcada muy frecuentemente por rasgos formales aislables, de las otras, que no siempre conocen esta caracterización. En su contra, habría que señalar que, como hemos visto, las demás funciones también pueden manifestarse en rasgos formales. Por eso, seguimos prefiriendo llamar a la sexta función «de opacidad» con el término de cuño todoroviano.

En cuanto a lo primero, parece que la respuesta es sin duda afirmativa: fórmulas de saludo, inscripciones funerarias, géneros literarios incluso (cfr. Lotman, 1970) son moldes hechos que se integran como bloque (y como resultados) de la «competencia» del hablante y forman, por tanto, una serie anómala frente al lenguaje estándar.

Lázaro afirma que es la coercitiva acción del «cierre» previsto, propia de estos textos la que explica su peculiaridad: «Mi hipótesis es ésta: la acción coercitiva del cierre libera un lenguaje distinto tanto más cuanto que obedece a restricciones diferentes que imponen diversas direcciones semánticas y gramaticales. Ahora sabemos que las figuras no son adornos, el *ornatus* que proponía la retórica antigua. Pero, igualmente, se ha de decir que tampoco obedecen sólo a necesidades expresivas como se ha asegurado muchas veces; también aparecen, y aún con mayor fuerza, por las violencias impuestas por la estructura del texto» (1976c: 332). Claro que hay muchas ocasiones de «cierre previsto» (intervención en un congreso, apremio en una cabina telefónica, etc.) en que no parece que se produzcan mensajes literales. En todo caso, la oposición lenguaje literal/lenguaje no literal parece fundamentada, aunque esté llamada a ser destruida como lo están las importantes dicotomías de *langue/parole* (cfr. Coseriu, 1958: 12-113) o *competence/performance* (cfr. Wunderlich, 1969).

Más problemática es la afirmación de que el lenguaje literario esté constituido por una parte del lenguaje literal. No sólo, como expone la hipótesis, porque hay productos del lenguaje literal que no son literarios, sino porque, en el límite, se puede producir ese fenómeno al que hemos aludido de que se circulen socialmente como productos literarios, textos que no sean literales. Si esto es así, nos encontramos con que la determinación del lenguaje literal, frente a la función poética, admite la posibilidad de manipulaciones lingüísticas que no se agotan en el mecanismo básico de «proyección del eje de la selección sobre el eje de la combinación» propio de esta función; frente al lenguaje opaco (bajo la dominancia de la sexta función) supone un «registro» [14] más preciso y de explicación más explícita, pero desgraciadamente tampoco sirve como marco absolutamente distintivo en que se inserte el lenguaje literario o estético [15].

[14] El término «registro» está tomado aproximadamente en el sentido en que lo utiliza Lázaro Carreter (1974: 41-42).

[15] Aunque cubre el discurso rítmico, lo hace con aproximadamente la misma «capacidad» que la función poética.

No podemos terminar sin recordar que caben objeciones globales al paradigma de las funciones, las que provienen de otros paradigmas que son distintos o superan aquél en que éstas están inscritas. No vamos a dedicarles espacio aquí. Obviamente esta indagación de las funciones externas del lenguaje es concebible sólo en una lingüística centrada en el mensaje y no en la competencia del emisor [16] cuyo desarrollo normal integrará los elementos pragmáticos de la actividad verbal [17]. Sin embargo, como decíamos al principio, un no pequeño mérito de la propuesta de Jakobson está, por lo menos, en patentizar la falta de soluciones que sus supuestos padecen ante ciertos problemas. Lo que no cabe es discutir un paradigma desde otro: sí que el nuevo intente suplir las deficiencias señaladas por la contrastación empírica anterior.

Recojamos como conclusión las distintas puntualizaciones que hemos ido señalando a lo largo del texto:

1. La propuesta jakobsoniana de las funciones (externas) del lenguaje se asienta en una explicación funcionalista (interna) de la función designativa.

2. La extensión de la teoría de la función referencial a las demás funciones pasa por la verificación de la oposición estructural entre mensajes vertidos al *signatum* y otros que privilegian el mismo *signans*.

3. La existencia de marcas puramente formales que responden a la dominancia de alguna de las funciones confirma la existencia de éstas y su posible rendimiento para el análisis lingüístico.

---

[16] Sobre la imposibilidad de una «competencia literaria» de la que habla van Dijk en la tesis citada (1972), *vid.* Silva (1977).

[17] Sin duda el desarrollo del paradigma de los «actos del habla» (Austin, 1955; Searle, 1969) que pone el acento en el lenguaje como actividad y no sólo como mensaje (producto de esa actividad) abre nuevas perspectivas para la consideración global del texto (cfr. Schmidt, 1973). No se debe desconocer, sin embargo, que si la cabal interpretación del enunciado depende de los usuarios y su situación, las relaciones de enunciación vienen dialécticamente motivadas por los rasgos configuradores del enunciado. La lingüística a la que nos hemos referido en este trabajo, la que va del enunciado a la enunciación, puede resultar fecundamente complementaria de la lingüística de los «actos del habla», que va de la enunciación al enunciado. Para un estado de la cuestión, cfr. Kerbrat-Orecchioni, 1980. Otra cuestión es si, dado el carácter social del lenguaje, se podrá llegar a una descripción atendible de los códigos de comportamiento lingüístico sin que esto implique intentar una teoría sociológica general. Tampoco entramos en el problema de la inabarcabilidad de estas cuestiones con instrumentos reductoramente lingüísticos.

4. Se puede aceptar la refutación de la teoría (lo que ya se ha hecho globalmente). No la afirmación de que ciertas propuestas no sean aceptables (lógicamente, no lo son) en un nuevo paradigma.

5. El fenómeno del lenguaje literario (si existe) no puede explicarse a partir de la sexta función del lenguaje, que hemos llamado «de opacidad», aunque sea un hecho estadísticamente cierto que los discursos rítmicos —y los estéticos en general— suelen responder a formulaciones propias de la «función poética» o, más ampliamente, del «lenguaje literal».

6. El rendimiento aún no explicitado que cabe esperar de este paradigma es el de una tipología de mensajes establecida según el grado de dominancia de una u otra función.

SOBRE UNA SEMIÓTICA LITERARIA ACTUAL: LA TEORÍA DEL LENGUAJE LITERARIO

En el campo de la Teoría del lenguaje literario del ámbito hispánico se ha venido prestigiando en los últimos años un marbete —«semiótica literaria»— que, como pasó en décadas anteriores con «estructuralismo», tiene una atendible base de progreso científico y un abundante uso, muchas veces de difusión acrítica.

Las líneas que siguen quieren ser una exposición (levemente histórica) de la cuestión, mirada desde el presente y siempre en una perspectiva hispánica. Su finalidad es la de contribuir a precisar unos posibles contornos de esta disciplina, señalando algunos problemas de la investigación, de manera que cada vez menos se diga de algo que es un estudio semiótico como si con ello se dijera necesariamente que es «oro molido» o se confunda lo semiológico con lo moderno, extranjero o incluso esotérico.

El resumen (lo confieso) es sumamente simplificador. Hay que tener en cuenta que los trabajos que últimamente han intentado una exposición del estado de la cuestión necesitan, incluso cuando no aborden todo el campo como el número monográfico de la revista *Langages* de 1978, más de cien páginas de texto (cfr. Delas-Thomas, 1978; Enqvist ed., 1978; van Dijk ed., 1979) [1].

Llamaremos Semiótica literaria a todos aquellos estudios de Teoría de la Literatura que son resultado de la incidencia de la Lingüística sobre la Teoría, entendiendo esta incidencia en un doble sentido: bien porque se tome en serio en tales trabajos que los textos literarios «se fabrican» (la expresión es de Valéry) [2] en o con las lenguas naturales, bien porque se inspiren para la investigación de estos discursos en axiomáticas (conjunto de reglas y pro-

---

[1] Esta cita presupone una (y sólo una) consideración de *semiótica* literaria. Ya se ve lo lejos que esto se encuentra de trabajos como los de Kristeva (1969) y toda la semiología general de parecido tenor.

[2] C'est l'execution du poème qui est le poème. En dehors d'elle ce sont des *fabrications* inexplicables, que ces suites de paroles curiousement assemblées» (Valéry, 1938: 1350). La cursiva es mía.

cedimientos de investigación) tomadas de la Lingüística. Esto, a su vez, ocurre, como veremos, por una doble causa.

Unos lo hacen porque piensan —desde el primer Barthes a la actualidad— que toda comunicación significativa está calcada sobre el sistema de comunicación del lenguaje humano por ser lo más íntimo del hombre; otros —posición en la que me cuento— porque descubriendo claramente la diferencia que existe entre los distintos sistemas semiológicos, opinamos que vale la pena correr el riesgo de comenzar con unos modelos inadecuados como son los lingüísticos para irlos sucesivamente modificando con la contrastación empírica según el procedimiento más difundido de la ciencia actual (cfr. van Dijk, 1973: 79-99). Y vale la pena, porque su larga experimentación en la historia de la humanidad nos transmite experiencias inapreciables.

Con todo, la exposición de lo que llamamos aquí Semiótica literaria actual no puede ser abordada con unos criterios cronológicos precisos. Como recordamos, la aceptación de la comunidad profesional de herramientas de conocimiento con las que nos acercamos a la indagación de un saber, se llama desde Kuhn (1962) *paradigma*. Cada paradigma es sustituido por otro que, teóricamente, lo supera en el sentido hegeliano (lo supera y lo integra), por lo que —como semiótica «actual»— sólo cabrían los trabajos posteriores a 1968, fecha de los primeros escritos del grupo de Constanza en donde parece que el paradigma jakobsoniano de la función poética ha entrado definitivamente en crisis (cfr. Schmidt hrg., 1970)[3].

La realidad no es tan sencilla. Los paradigmas se suceden unos a otros mediante un proceso de alteración dialectal[4] que, como

[3] Aquí se recogen trabajos de O. Wiener, P. Hartmann, S. J. Schmidt, A. Hoppe, T. A. van Dijk, J. Ihwe, H. Delius, M. Imdahl y A. Vukovich más un resumen del coloquio sobre «Problemas del análisis semántico del texto» celebrado en los días 18 y 19 de octubre de 1969. En contraportada, se anuncia la serie, comenzada con este cuaderno, de la siguiente manera: «Die literaturthematisierenden Disziplinen befinden sich heute in einer Grundlagenkrise. Sie beginnen, sich ernsthaft um eine wissenschaftheoretische Grundlegung sowie um eine adäquate Formulierung ihres gesellschaftlichen Selbstbewusstseins zu bemühen. Diese bemühungen können nur in einer breit angelegten Interdisziplinarität erfolgreich verwirklicht werden. Die Schriftenreihe "Grundfragen der Literaturwissenschaft" bietet ein Diskussionsforum für diesen Reflexionsprozess und steht allen Beiträgen offen, die rational die Fundierungsprobleme und die Relevanz-Bestimmung einer Wissenschaft von der Literatur klären helfen können.»

[4] Interprétese esta afirmación por analogía, en la cultura, con lo que sucede en las lenguas naturales.

ella, conoce avances y retrocesos antes de presentar una forma como triunfadora. La estilística que veremos es la «actual» semiótica (o semiología: también obviamos el problema terminológico) en cuanto se ocupa del signo (no olvidemos que el Premio Nacional de Ensayo 1978 se dio en España a un discípulo de Dámaso por un libro sobre el símbolo) por lo que Umberto Eco (1968: 166) proclamaba hace una década que *Poesía española* es un estudio de semología *avant la lettre*.

He dedicado el trabajo anterior a ponderar la fertilidad actual del paradigma jakobsoniano en la determinación del mensaje poético, cuestión que ha conocido importantes precisiones en nuestro ámbito como las de Lázaro Carreter. A este trabajo remito para omitir una primera exposición de semiología, la que plantea el problema en el marco del proceso de comunicación: un emisor que envía un mensaje elaborado según un sistema de signos o código consabido por el receptor. Planteamiento que es semiológico como lo es todo aquel que toma rigurosamente en serio que los sistemas culturales puedan ser analizados precisamente como sistemas de signos o *códigos*.

Claro que la teoría del lenguaje literario está siendo sustituida por una pragmática (cfr. Pratt, 1977) [5] o, al menos, cuenta con ella. Por otra parte, las versiones en lenguas occidentales en la última década de los trabajos de Y. Lotman, que aportan datos elaborados hacía años en la escuela de Tartu, ofrecen posiciones —por su cierto aislamiento— en algunos aspectos anteriores y en otros posteriores a la de los trabajos del mundo occidental; pero, en todo caso, en confluencia sobre la proclamación de la inviabilidad del mito de la «lengua literaria» considerada únicamente como propiedad intrínseca del mensaje. La antigua y ya muy di-

[5] Se trata no de concebir una indagación de la lengua literaria, sino de actos literarios de la lengua. Con esto, Mary Louise Pratt (1977: 69-73) pretende solucionar el hecho de la identidad formal entre ciertos discursos literarios y otros que no lo son. Esta postura, adaptación como teoría literaria de la teoría lingüística de los «actos de habla», de Austin (1955) y Searle (1969), pone acertadamente de relieve la consideración pragmática (cfr. Morris, 1946: 336-339) y no sólo sintáctica y semántica del texto literario. Pero, en mi opinión, de una parte, minusvalora en exceso las propiedades también sintácticas y semánticas que ordinariamente caracterizan dicho texto y, de otra, se ve abocada a reclamar una «ciencia social» (pág. 223), propiedad ya supuesta sin violencia en la semiótica que, sin embargo, engloba sintaxis, semántica y pragmática. Para una exposición de los trabajos en esta línea, véase J. Domínguez Caparrós (1981).

fundida obra de Y. Lotman, *Estructura del texto artístico* (1970)[6], enlaza en este punto con el libro *Tex and Context* (1977) de T. van Dijk dado a conocer en edición policopiada el año 1976[7]: el texto literario ha de ser definido mediante determinaciones que van más allá de la *literariedad.*

Mirando, como decimos, el estado actual de la cuestión desde una perspectiva hispánica, la realidad de los estudios literarios de base lingüística no presenta ninguna novedad. Justamente porque aquí se prolongaba, a través de la escuela de don Ramón Menéndez Pidal, la tradición «filológica»; los estudios lingüísticos miraban a la interpretación de textos y no suponían ninguna ruptura lo que en el mundo de la lingüística americana vertida a las lenguas amerindias parecía una perspectiva inusitada: aquellas palabras de Jakobson que centenares de profesionales hemos puesto alguna vez al frente de nuestros escritos: un lingüista ciego a la función poética del lenguaje o un erudito de la literatura despreocupado por la lingüística son ambos hoy un caso de flagrante anacronismo (cfr. Jakobson, 1958: 173).

Pero la verdad es (como recuerda Guiraud en su admirable librito *La Estilística,* 1955) que la disciplina literaria propiamente hablando había quedado relegada en la doctrina historicista a un apéndice (la «Preceptiva») en los cursos de Historia de la Literatura o a una enseñanza inerte: el catálogo de figuras retóricas en los textos de la educación escolar. La posibilidad de acercarse al lenguaje literario, y no sólo al lenguaje de los textos literarios, viene dada por las escuelas lingüísticas que surgen como

---

[6] Me refiero a las siguientes posibilidades descritas por Lotman:

«1) El escritor crea el texto como obra de arte y el lector lo percibe como tal.

2) El escritor no crea el texto como obra de arte, pero el lector lo percibe estéticamente (por ejemplo, la actual percepción de textos sacros e históricos de las literaturas antiguas y medievales).

3) El escritor crea un texto artístico, pero el lector es incapaz de identificarlo con ninguno de los tipos de organización que para él agotan el concepto de lo artístico y lo percibe desde el punto de vista de la información no artística.

4) Este caso es banal: el lector percibe el texto no artístico creado por el autor como no artístico» (Lotman, 1970: 346).

[7] Lo asocio al anterior como una muestra más de trabajo que deja al descubierto las implicaciones pragmáticas en la interpretación de un texto. Aunque no sea objeto del libro, cualquiera que haya seguido la trayectoria del profesor van Dijk puede colegir las implicaciones crítico-literarias de este estudio.

reacción al historicismo: la escuela saussureana y la escuela idealista.

La lingüística descriptiva y sincrónica (no prescriptiva y no diacrónica) posibilita aquellos primeros estudios que se conocieron como Estilística *(Stilforschung)* que eran programáticamente ajenos precisamente a los textos literarios.

Se trataba de destacar en el lenguaje (en la propia lengua hablada) valores que no eran precisamente nocionales, sino los que Bally llamó en el *Traité* [8] afectivos y, más tarde, expresivos. Dicho con terminología de la semántica posterior, lo que se investiga aquí es la connotación en el lenguaje: el hecho de que el signo lingüístico proporcione otras informaciones, además de la información nocional que en toda la historia de la lingüística se le había reconocido. Tenemos, pues, una ciencia lingüística (no parte de la Lingüística) que trata de los «valores afectivos del lenguaje» [9] según la célebre definición de Bally. Adaptando este juicio a la terminología funcional bühleriana, lo que se nos dice es que la Estilística trata de los fenómenos obviamente marginales de la función expresiva y apelativa en el lenguaje. (Aquí *función* hay que entenderla todavía en un sentido de finalidad y *designativo:* el lenguaje sirve para dar información adicional —individual o social— del emisor e influir sobre el receptor.)

Tal disciplina semiológica está basada en el mecanismo de las variantes estilísticas: el emisor puede escoger entre las posibilidades que le brinda el código, aquella que considere más acorde con su finalidad expresiva. Se trata de la «elección» *(choix)*, preconizada en la obra clásica de Marcel Cressot [10], defendida en el proceso descriptivo de la investigación del estilo de Riffaterre

---

[8] «Si l'étude du langage a été jusq'ici régentée par la logique, il n'y a rien là qui puisse nous étonner; encore à l'heure qu'il est, caractériser le langage en tant qu'expression des sentiments et des émotions peut paraître una entreprise hasardeuse, où les tatonnemets et les erreurs sont inévitables; ou ne nous en voudra pas si, par prudence, nous en tenons à quelques notions fondamentales et à l'esquisse d'une méthode» (Bally, 1921: 158).

[9] «*La stylistique étudie donc les faits d'expression du langage organisé au point de vue de leur contenu affectif, c'est-à-dire* l'expresion des faits de la sensibilité par le langage et l'action des faits de langage sur la sensibilité» (la cursiva es del autor). *Ibíd.*, 16.

[10] «C'est cette sensibilité que nous appliquerons à dégager d'après le *choix* du vocabulaire, du matérial grammatical, de l'ordre des mots, du mouvement et de la musique de la phrase. Mais, comme nous l'avons vue une telle étude n'est pas une fin en soi: elle ne vaut que par les documents et les suggestions qu'elle apporte au une synthèse future» (Cressot, 1951: 5).

(1971: 33), rememorada más recientemente en el artículo de Enkvist (1964: 32-33).

Dos cuestiones se han de plantear sobre la virtualidad de esta línea para formular una teoría y, o, modelar una crítica del texto literario. La una hace mucho que parece superada y, sin embargo, hay que volverla a plantear por una razón que en el paradigma de la estilística de Bally no salía a la luz.

Se trata del cómo aceptar que no son sólo propios del texto literario aquellos fenómenos que teóricamente la Estilística descriptiva rechazaba como objeto de estudios por considerarlos «más voluntarios» (menos libres) y «más conscientes». Se ha de aducir la respuesta de Cressot (1951: 3)[11]: justamente por ser más libre y más consciente la utilización de los recursos expresivos que hace el emisor en el texto literario, se encuentran éstos potenciados y tienen en él su lugar privilegiado de estudio. Ya está la estilística descriptiva, disciplina semiológica, está salvada como neorretórica; pero no. No se puede afirmar sin más que como defiende Dámaso Alonso (1950a), entre la lengua usual y la lengua literaria no haya sino una diferencia de matiz y grado. Las tesis de Praga han recordado con razón que cada elemento del texto literario —como, por otra parte, cada haz de rasgos en la matriz fonológica de su teoría— significa en relación con los demás elementos del sistema y ese «efecto natural» («eufonía o euglosía» que llamó Flydal, 1962) o ese efecto por evocación significa de manera distinta al integrarse en el sistema literario. Una rama de la semiología, la semiología fílmica, ha puesto muchas veces de relieve un ejemplo no por trivial menos concluyente: un teléfono en la habitación es un detalle relevante, con significado distinto, en un primer plano con el que se avise —en el filme— que por allí va a venir la delación del criminal.

La otra cuestión es la de la misma *elección*. Su necesidad está en cada momento mucho más presente de lo que parecía a primera vista. Se ha distinguido (cfr. Enkvist, 1964: 34) entre:

---

[11] «Por nous, l'oeuvre littéraire n'est pas autre chose qu'une communication, et toute l'esthétique qu'y fait rentrer l'écrivain n'est en definitive qu'un moyen de gagner plus surement l'adhésion du lecteur. Ce souci y est peut-être plus systématique que dans la communication courante, mais il n'est pas d'une autre nature. Nous dirions même que l'oeuvre littéraire est par excellence le domaine de la stylistique précisément parce que le *choix* y est plus "volontaire" et plus conscient» *(Ibíd.)*.

a) La elección *gramatical.*

Ej.: Pedro... *al fútbol* cuyo hueco puede ser rellenado por «juega» y no por «come».

b) elección impuesta por el *referente.*

Ej.: X *ama a Paula* cuya incógnita tiene que ser despejada obligatoriamente a favor de Pedro, Juan, etc., por razones de verdad.

y c) *libre o estilística.*

Ej.: *es bella = es mona = es guapa.*

Pero ¿no es todo hablante un elector condicionado siempre? Ya sabemos que no existe la sinonimia absoluta. En la ejemplificación de Bally (1921: 8-12), la oposición

1) *pónganse los uniformes* / 2) *¿querrían ponerse los uniformes?*, evoca el hecho de que el lenguaje es principio de clasificación moral y no sólo social.

Pero, ¿podría emplearse en el ejército la fórmula 2? o ¿podría emplearse la fórmula 1 en un colegio caro? Hablar de un léxico de los referentes y de sus reglas de inserción pragmática nos llevaría a una situación de la teoría que no es la que ahora describimos.

Basta decir, por ahora, que esa primitiva semiología literaria o Teoría literaria que es la Estilística descriptiva sobre la que se han montado centenares de análisis concretos (cfr. Hatzfeld, 1955: 49-63) proporciona una taxonomía bastante adecuada de los recursos lingüísticos que se suelen emplear en el lenguaje literario. Si no consigue la exhaustividad (todos los fenómenos), ni la distintividad (sólo los fenómenos literarios), que requeriría una teoría en sentido fuerte, no es menos cierto que sin especiales complicaciones metateóricas nos aproxima a conocimientos ilustrativos del texto literario. Los análisis estilísticos sobre textos concretos no deben ser considerados sólo como prácticas de un momento pretérito en la evolución científica, sino como aportaciones regionales de entidad para la contrastación de las teorías —más poderosas, en sentido científico— hoy vigentes.

Por otro lado, la atención, desde el momento actual de la teoría, hacia la estilística idealista viene exigida tanto desde una visión positiva como desde una visión negativa.

Por una parte, el cultivo de esta línea es continuo hasta nuestros días como hemos ejemplificado en el caso —en cierto sentido marginal— de Carlos Bousoño. Además, la línea idealista enlaza con la corriente sociológica del estructuralismo genético a través de Th. Spoerri en una continuidad que llega entre nosotros hasta nuestros días con los trabajos de Berenguer (1971) sobre el teatro de Arrabal o los de Ferreras sobre novela. Por otro lado el idealismo es blanco de todas las críticas desde la estilística estructural o desde las Poéticas que se inventan o se imitan por estas latitudes. El capítulo dedicado por Martínez García a criticar —a moro muerto— el concepto damasiano de «unicidad» puede ser un buen ejemplo de ello [12].

En su formulación clásica, la estilística idealista se fundamenta en el concepto operativo de *desvío* y en la confianza en la intuición. No podemos desconocer que conceptos claves como el de totalidad, integración en «sistemas planetarios» sucesivamente más amplios, control de la objetividad por el «círculo filológico», etcétera [13]; aunque puedan verse —e incluso realizar inconscientemente— como una aproximación del carácter paragramático previsto por Saussure y desarrollado en la Poética: en una apertura extensional del texto y con un control del rigor metodológico; encuentran su significación en el sistema teórico que les sirve de base, el que considera todo acto verdaderamente creador como individual y todo acto individual como creador. No es preciso detenerse a ejemplificar, con contraejemplos como *Cultura y lengua de Francia* (1933) de Vossler o la propia *Mimesis* (1942) de Auerbach, hasta qué punto esta metodología impide (o no) una explicación

---

[12] Así, refiriéndose a *Poesía española*, de Dámaso Alonso, escribe: «(...) se afirma el hecho de que para una obra como objeto concreto nunca existe un conocimiento completo y definitivo. Repetimos que estamos de acuerdo. Pero lo mismo ocurre con no importa qué otro objeto individual: la frase más simple de la lengua es, como objeto único tan incognoscible como la obra literaria más compleja. Si, pese a todo, nos parece que sabemos más acerca de la primera que de la segunda no se debe a que la frase en cuestión carezca de unicidad —lo que sería absurdo—, sino que sabemos más del uso normal del lenguaje que acerca de ese otro modo de utilizar la lengua que denominamos poético o literario» (Martínez García, 1975: 27-28).

[13] «(...) el pensamiento de un escritor es como una especie de sistema solar, dentro de cuya órbita giran atraídas todas las categorías de las cosas: el lenguaje, el enredo, la trama (...). El lingüista, como su colega el crítico literario, debe remontarse siempre a la causa latente tras esos llamados recursos literarios y estilísticos, que los historiadores de la literatura suelen limitarse a registrar (Spitzer, 1948: 30).

(...) el descubrimiento, realizado por el erudito y teólogo romántico Schleiermacher de que en filología el conocimiento no se alcanza solamente por la progresión gradual de uno a otro detalle, sino por la anticipación o adivinación del todo» (*Ibíd.*, 40).

científica de los datos que estudia. Digamos tan sólo dos palabras sobre el concepto de «desvío».

La hipótesis del «desvío» en esta escuela supone que existe una correspondencia lingüística psíquica tal que a una nueva percepción psíquica le corresponde una formulación lingüística nueva [14]. Admitiendo esta hipótesis, el desarrollo metodológico se concluye obviamente: habría que elegir un desvío lingüístico como hilo conductor que nos lleve al desvío psíquico (étymon espiritual) en que la obra se asienta.

Como en todo idealismo, el punto de partida intuitivo supone un arduo problema porque ¿cómo evitar que la interpretación del texto no se distorsione en favor de un desvío mal elegido?

Además, nos encontramos con que el útil operativo de «desvío» (con relación a una «norma»), padece la imprecisión fluctuante de la tricotomía de Coseriu (1958: 11-113). Ya que la «norma» ha de entenderse necesariamente con un criterio estadístico que desatiende lo contextual. Con un ejemplo de la sensata exposición de Adrados (1969: 621), la sílaba *truz* es infrecuente en español, pero ¿será un desvío su repetición en un tratado de avestruces?

La noción de desvío, sin embargo fecunda en la historia reciente de nuestra disciplina, es todo problemas e igual lo es, si la consideración la transferimos a la diferenciación de aceptabilidad/gramaticalidad de la lingüística chomskiana, aunque la medición de los grados de agramaticalidad y de las transgresiones de la congruencia semántica pudieran prestar un nuevo rigor en la determinación de los mensajes «desviados» y en la señalización de las reglas transgredidas.

En todo caso, tendremos que decir que el desvío como caracterizador del lenguaje poético, como quiere J. Cohen [15] —y menos aún del literario—, está lejos de tener un carácter distintivo. Como

---

[14] «Una excitación *psíquica* que se aparte de los hábitos normales de nuestra mente corresponde también en el *lenguaje* a una desviación del uso normal» (Spitzer, 1942: 92).

[15] «La diferencia entre prosa y poesía es de naturaleza lingüística, es decir, formal. Dicha diferencia no se halla ni en la sustancia sonora ni en la sustancia ideológica, sino en la clase especial de relaciones que el poema introduce, por una parte, entre el significante y el significado y, por otra, entre los propios significados.

Esta clase especial de relaciones se caracteriza por su negatividad, siendo cada uno de los procedimientos o "figuras" que constituyen el lenguaje poético en su especificidad una manera —distinta según los niveles— de violar el código del lenguaje usual» (Cohen, 1966: 196. Ahora también en 1979).

veremos más adelante, con este único criterio no se puede distinguir el estilema de la transgresión.

Al apelar a esa natural capacidad del conocer humano, la estilística genética (más aún si está flexiblemente integrada con la descriptiva como en la metodología de Dámaso Alonso) mantiene en alto un valor: la capacidad humana para conocer que —como diré al final —no es el menor correctivo que hoy necesita nuestra disciplina.

Sabemos que el desarrollo de la lingüística estructural produce como incidencia una estilística que consigue nuevas precisiones en la delimitación de los mecanismos lingüísticos puestos en juego en una serie de mensajes entre los que se cuentan los literarios. El «hecho de estilo» es concebido por Riffaterre (1971: 31) como un subrayado impuesto por el codificador en el mensaje de manera que «el descodificador no puede prescindir del elemento estilístico sin mutilar el texto y no puede descodificarlo sin encontrarlo significativo».

Es aceptable la inclusión del lector en el análisis del hecho estilístico puesto que, como dice Blanchot, un texto que no se lee es un texto que no existe. Sin embargo, no hay forma de incluir al lector sin caer en la «falacia psicologista» (Wimsatt and Beardsley, 1954: 21-39). Ya sabemos la solución de Riffaterre: acudir al «archilector» y ¿quién determina el retrato-robot del archilector? Como dice Hendricks (1973: 229) [16], escapar de la subjetividad es siempre imposible.

Pero, además, la definición de estilo como un *contraste* en un *contexto* presenta dificultades no menores que los conceptos de *elección* y *desviación* ya mentados. En efecto, hay hechos significativos aceptados como tales por todos los lectores que no son un contraste (o elemento inesperado) en un contexto. ¡Ah! Entonces hay que acudir a la convergencia. Diversos fenómenos en distintos estratos confluyen para resaltar ese hecho (cfr. Riffaterre, 1971: 60). ¿Y si tampoco se da la convergencia? Hay que acudir al macrocontexto, algo así como a que por fuerza haya un contraste, aunque sea con la memoria colectiva de la humanidad [17].

---

[16] Después de muchas páginas dedicadas a delinear una crítica objetiva, concluye: «No hay ni que decir que los procedimientos que hemos discutido siguen dependiendo en un grado muy alto de la intuición del analista, pero por lo menos representan un punto de partida para las investigaciones posteriores» (pág. 229).

[17] Una aguda crítica a este y otros conceptos de Riffaterre es la que firma el entonces colaborador de E. Hernández Vista, F. Argudo Sánchez en la revista *Prohemio*, III, 4, 1972, págs. 539-549.

Las precisiones estructuralistas de situar el hecho de estilo en el decurso y con relación al receptor, como se encargó de señalar entre nosotros Hernández Vista, no salvan los problemas de la estilística anterior que se intenta superar. Por otra parte —y por lo que hace a la teoría literaria—, Riffaterre no pretende que los hechos de estilo configuren la literatura. Estamos, pues, como antes.

Otra incidencia del estructuralismo que merece destacarse es la del estudio de las connotaciones fundamentado por Hjelmslev, ampliado por S. Johansen al conocimiento del «signo estético» en el famoso volumen V de los T. C. L. C. (1949). No vamos a hacer la historia hasta nuestros días de esta línea de la que entre nosotros ha sido abanderado Gregorio Salvador y que llega a la tesis de Trabant (1973) y está presente en trabajos como los de Eco y W. Mignolo (1978). Yo mismo he utilizado el gráfico en mi *Introducción* (Garrido Gallardo, 1975: 98-100). Cabe decir que la relación pormenorizada de las connotaciones que se producen no sólo en la forma del contenido *(caballo/corcel/jamelgo)*, sino en todos los demás elementos del modelo sígnico hjelmsleviano, nos da, efectivamente, el mecanismo de un mensaje potenciado —muchas veces por las repeticiones («isotopías» en Greimas [18], «recurrencias» en Jakobson)— pero que tampoco es exclusivo de la lengua literaria como veremos a continuación. Hay, sin embargo, un nuevo rigor objetivo en estos estudios, si bien la subjetividad tampoco puede ser eliminada en la consideración objetiva de lo que constituye la *connotación*. Además, las connotaciones son producidas no por un mecanismo básico, sino por una serie de mecanismos cuya formalidad interesa a la teoría.

Pero, dejando ya la consideración actual de las antiguas escuelas de estilística, conviene señalar el momento de una nueva concepción del texto literario que se deriva de aplicar la metodología estructural al estudio de la configuración misma del texto y no sólo al de las unidades de las lenguas naturales en que la literatura se expresa. Estamos ante la constitución de la Poética, la teoría literaria actual que (para subrayar la dimensión extensional que finalmente se ha visto como inevitable y para marcar etapas) terminamos llamando semiótica literaria.

[18] Es claro que no se pueden igualar sin más los términos «isotopía» y «repetición». Para el término «isotopía», vid. A. J. Greimas, 1966: 105-155, 1970; *passim* y Rastier, 1972.

Aceptemos que el pivote sobre el que se asienta el estructuralismo es la conmutación y el concepto que lleva aparejado es el de función (de ahí, los «funtivos» de L. Hjelmslev, la lingüística «funcional» de Martinet, etc.). Pues bien, la Poética como estudio de los mecanismos en los que se configura el texto literario es una ciencia preconizada por los formalistas rusos que tomando el venerable nombre aristotélico se asienta sobre el concepto clave de función (interna) que configura los mensajes lingüísticos como un entramado de unidades designativas.

El proceso que describiré a continuación no es el histórico sino un simulacro del científico que se ha producido hasta configurar la Poética como el estudio de la función específica en relación con las demás funciones del lenguaje, afirmación del trabajo sobre «Lingüística y Poética», de Jakobson, matizado por Riffaterre (1971: 154-855) a quien he citado antes porque —aun arrancando del esquema funcionalista jakobsoniano— se basa en el estudio de la «función estilística», según hemos visto.

Al advertirse en el esquema comunicativo mínimo que las funciones (fonológicas) eran básicas para las diferentes referencias del mensaje, se advierte también muy pronto (está patente en las tesis de Praga) que el mensaje tiene una doble cara; con la escolástica diríamos que es *signans* de un *signatum*, pero a la vez, es, en sí mismo, una entidad.

Por otra parte, la ampliación del esquema a las funciones expresiva y apelativa del *organon* bühleriano, lleva a la hipótesis de que cada elemento del acto comunicativo especializa una función que —creemos haber demostrado en nuestro anterior capítulo— debe entenderse como la huella que deja en el enunciado cada uno de los elementos del proceso de enunciación.

Así, habrá una función especializada en el elemento mensaje: es la que llama R. Jakobson función poética cuyo mecanismo sitúa en «la proyección del eje de la selección sobre el eje de la combinación» (1958: 138).

No nos vamos a detener —por conocida— en la larguísima polémica que desata la hipótesis de la función poética, que ha constituido un fecundo programa de investigación.

Sabemos, ya lo advertía Jakobson, que la función poética no es específica de los textos poéticos y menos aún de los literarios y, por consiguiente, no es distintiva; que su mecanismo explica unitariamente muchas figuras (las de repetición que son innumerables en la Retórica clásica), pero no todas; y que sus distintas extensiones han sido fecundas: particularmente la de Levin (1962: 149), montada sobre el concepto de Gramática de Chomsky (1957), concreta un mecanismo fundamental del discurso rítmico, la inserción de unidades iguales o equivalentes en lugares comparables o paralelos de la matriz sintagmática y/o de la matriz rítmica. Podemos decir, pues, que la función lingüística que orienta el mensaje hacia sí mismo no es poética (aunque siempre esté presente en el discurso rítmico), sino formal como dice el último Riffaterre, por cuanto cristaliza una forma que puede ser memorizada, retenida como invariable u opaca con este último término que he propuesto para evitar la indeseable connotación de que la huella formal en el mensaje sea lo constitutivo de la función poética cuando es común —como posibilidad o como hecho— para todas las funciones del lenguaje.

Particular atención merece el análisis de la propuesta de Lázaro Carreter (1976a, 1976c) sobre el mensaje literal, acuñado de modo explícito en dos de los trabajos recogidos en *Estudios de Lingüística* (1980). Para superar las dificultades jakobsonianas se propone considerar que es común al mensaje literario y a otros muchos mensajes su *literalidad* (no confundir con la *literariedad* del objeto de la Poética). Es decir, esa cualidad «formal», ya vista por Riffaterre y subrayada por Levin, de mensajes que deben ser reproducidos en sus propios términos.

Sin postular una gramática especial para toda la poesía, señala, sin embargo, un comportamiento especial de la competencia lingüística que se produce en estos mensajes; existen bloques de unidades inalterables en sus reglas de combinación: *buenos días, descanse en paz,* un soneto. El lenguaje literal es como «para ser esculpido». Pero, además, tendría otra propiedad que explicaría muchas de sus peculiaridades: tener un *cierre* previsto. La tensión a que el «cierre previsto» en el lenguaje literal somete al mensaje es suficiente para explicar toda la coacción que reciben las unidades lingüísticas así constreñidas: las figuras retóricas ahora menos que nunca podrían ser consideradas como un adorno según la tradición de las *flores rhetoricales;* son el resultado de esta nueva convención a que se somete el discurso.

La hipótesis —con muchos argumentos a favor— está bien construida: extiende la función literaria más allá del discurso rítmico, explica unitariamente fenómenos que entraban a formar parte de la función poética y otros que no; pero, como ella admite, tampoco resuelve el estatuto de la lengua literaria dejada a una futura investigación que la especificaría como una subclase del mensaje literal.

Son muchas más las aportaciones que los estructuralismos, clásicos o actualizados, como el nuevo checo, concebidos como método de las ciencias del hombre (y particularmente la antropología) han hecho a la Poética. Baste recordar el desarrollo que han tenido los estudios de los mecanismos narratológicos, hoy —como afirma García Berrio (A. G. B. y Vera Luján, 1977: 203)— peligrosamente estancados.

Pero antes de proseguir, queremos revisar un concepto clave de la última poética, el de competencia literaria. Hemos visto que sobre la Estilística —que no se propone individuar el texto literario— se proyectan sucesivamente la lingüística idealista, los sucesivos estructuralismos y los diferentes pasos de las teorías gramaticales generativas y transformacionales. De la formalización explícita asumida por el estructuralismo nace una Poética con un objeto definido, la literariedad, y unos propósitos claros: la elucidación de mecanismos constructivos. Tal elucidación se intenta con instrumentos de las lingüísticas estructurales. Luego, con los de las generativas, momento en el cual el útil metodológico clave (conmutación-función) tiende a ser sustituido por el concepto de *competencia* literaria. ¿Es posible hablar de una competencia literaria?

Creemos que no. Bierwich propone en el año 65 que la Gramática (G) que genera (enumera explícitamente) las descripciones estructurales (DES) podría tener un filtro (SP = Sistema Poético) que dejaría salir por el *output* sólo las «sartas poéticas». No se trata de una mera forma de desvío, sino de proponer la hipótesis de una coherencia nueva. Pero he aquí que tal hipótesis está desprovista de las notas correspondientes a la habilidad del hablante-oyente nativo de la competencia lingüística chomskiana: no es innata (ni siquiera, como comprueba Ihwe (1975: 367-399), para la restricción más clara, coherente y evidentemente parasitaria de G_1 que es la Gramática Métrica); no enumera todas las sartas, puesto que la consideración de éstas como literarias varían por condicionamientos sociales, y no admite, en consecuencia, una aplicación del método hipotético-deductivo ni tiene capacidad predictiva. El expediente de distinguir entre microestructuras y macroestructuras, transfiriendo a estas últimas (las unidades superiores narratológicas, los géneros, etc.) el condicionante sociológico, no es más que un intento fallido de escapar a la aporía que tal mimetismo presenta.

Parecidos problemas sufre el ambicioso concepto de Poética esbozado en la tesis de Van Dijk (1972: 189-209) donde sostiene la posibilidad de una gramática de la poesía que comparta reglas con la gramática estándar y que tenga otras propias.

Finalmente, Culler acepta el concepto de competencia, transfiriendo al receptor —muy en la tradición norteamericana— la *competencia* de descodificación, lo que sin salvar los problemas de los otros, aumenta una dificultad suplementaria: la de construir una gramática en la línea intentada estos últimos años de describir no el mecanismo de formación sino el de lectura [19].

Creemos, de acuerdo con Aguiar e Silva que el concepto de competencia literaria es inaplicable —hoy por hoy, al menos— a la constitución de una Poética [20].

Hay otra dificultad que abordamos a continuación. Se ha aludido de pasada al tema de la «macroestructura»: en efecto, el texto literario más que cualquier otro texto, se caracteriza por constituirse en unidades mayores que la frase o mejor, iguales a la obra misma; luego, ¿cómo podría ser adecuada una Gramática de la frase para adaptarse al estudio de la literatura?

Van Dijk habla de una gramática textual y en esto confluyen los estudios de Poética de corte estructuralista, que estudian las articulaciones superiores del texto (funciones del relato o de la representación dramática, por ejemplo); los estudios de folklore y la necesidad que se viene notando en el campo postgenerativo de una gramática «más allá de la frase» que dé cuenta de problemas como los de los conexivos, las presuposiciones, la anáfora, etc.

Hay que esperar, pues, la elaboración de una gramática textual adecuada y su aplicación al texto literario. Hay que decir de en-

---

[19] «La cuestión no es lo que los lectores reales hacen, sino lo que un lector ideal debe saber implícitamente para leer e interpretar obras de modo que consideremos aceptable, de acuerdo con la institución de la literatura.

Naturalmente, el lector ideal es una construcción teórica, y quizá la mejor forma de concebirlo sea como una representación de la noción fundamental de aceptabilidad» (Culler, 1975: 177-178).

[20] La lingüística chomskiana, en cuanto teoría científica aún no refutada, proporciona datos cognoscitivos que es necesario tener debidamente en cuenta, no sólo por las relaciones específicas existentes entre lenguaje verbal y literatura, sino también porque el sistema semiótico lingüístico es el interpretante de todos los otros sistemas semióticos, pero no proporciona el modelo teórico adecuado para la constitución de la poética» (Silva, 1977: 150).

trada que en cuanto se base en la «competencia gramatical» no será adecuada para el texto literario. No alcanzo a ver cómo una Teoría de la Estructura del Texto y la Estructura del Mundo (cfr. Petöfi, 1975) puede alcanzar carácter predictivo (sería de una complejidad inabarcable, sobre todo por el componente pragmático). Nótese, por ejemplo, que el excelente trabajo publicado por García Berrio en 1977 en *Imprévu,* lo que en realidad ofrece es un depurado modelo de taxonomía. Lo mismo podríamos decir de otras aplicaciones.

De lo que hemos visto se deduce que cualquier teoría lingüística, o basada en la lingüística, nos puede aproximar a unos textos que se emplean como literarios, pero existen textos desviados, intensificados, connotados, opacos, literales que no son literarios. Ninguna de las aproximaciones consigue el rasgo de la *distintividad.* Pero hay más, como recordé ya en 1974, hay también textos literarios que no son desviados, intensificados, connotados, opacos, literales, etc., luego la condición de «literario» es una cualidad que, en casos extremos podría venir dada por una mera marca social, la del circuito de lo literario que hace que una conversación oída en la calle, grabada en cinta magnetofónica e introducida en dicho circuito, sea interpretada como literaria por el receptor (Garrido Gallardo, 1974c: 216).

Esta posición es sostenida en 1977 por M. L. Pratt y Van Dijk, como hemos dicho, y también por Levin. Por otra parte, Lotman (por no referirme a Julia Kristeva cuya coherencia es mucho menor) viene a aceptar una posición semejante cuando dice que serían literarios aquellos fenómenos que, por un lado, «están codificados según las reglas de la lengua natural (...) y, por otro, por un código extralingüístico que podríamos designar como norma» [21], o sea, que la producción y recepción de un discurso como literario actualiza un proceso lingüístico y un proceso psicosocial que otorga al proceso lingüístico una *valencia,* esta valencia otorga a los mecanismos verbales su lugar de pertenencia como miembros de conjuntos discursivos.

Podríamos acudir a la opinión de Mignolo de que una definición operativa de la literatura no habría que buscarla en las pro-

---

[21] Cfr. Mignolo (1978: 48) que resume aquí conceptos que se encuentran en Lotman (1970: 340-341). A partir de aquí, como señalo en el texto, me sigo refiriendo —literalmente o no— en las dos páginas siguientes a este libro de Mignolo. De todas maneras, la influencia de Lotman es tan grande en los aspectos de referencia que puede decirse también que se trata de opiniones de este autor o que son ya un bien mostrenco.

piedades específicas del objeto, sino en la interacción entre, por un lado, un conjunto de estímulos verbales y, por otro, un sistema de valores localizados en los «ejecutores» de ese sistema, «quienes escriben, quienes leen, quienes interpretan» (Mignolo, 1978: 47).

En cuanto a los estímulos verbales, es verdad que hemos supuesto ejemplos extremos en que se podría pensar en un grado cero del sobrecódigo connotativo, pero no es menos cierto que la opacidad, connotación y ambigüedad informativa del texto suelen estar presentes de acuerdo con la intención comunicativa del emisor literario que, ya que no puede poner delante la realidad, manifesta su descubrimiento, garantiza la función estética, procura implicar el código en el mensaje (asegurarse de que el lector fija la atención en el mensaje mismo), determina una lectura precisa —esa y no otra— del discurso que propone. En cuanto al **receptor**, el estímulo verbal (señal, signo, síntoma, símbolo) es el que normalmente posibilitará ese disparador psicosocial que integra el discurso como texto.

Así, los posibles acercamientos a la caracterización de los discursos que llegan a constituir textos literarios distan de ser superfluos, tales «discursos figurativos» pertenecen al «sistema secundario» o realización verbal que, por un lado, no pertenece al orden del sistema estándar y por otro, necesita de situaciones de comunicación distintas del primero. Mignolo, al que venimos siguiendo en su resumen casi *ad pedem litterae*, llama verbosimbólicas a las conductas verbales que se inscriben en el sistema secundario. Llegamos a la distinción entre *texto* y *no texto*. Es texto toda forma discursiva «verbosimbólica, que se inscribe en el sistema secundario y que, además, es considerada en una cultura». Lo literario se define por un conjunto de motivaciones (norma) que hacen posible la producción y recuperación de textos en cuanto estructuras verbo-simbólicas en función cultural.

Un texto literario es una estructura verbo-simbólica más un metalenguaje explícito.

El dispositivo tipológico que distribuye y ordena clases de discursos/textos en una cultura puede ser construido (teóricamente) como un doble proceso de semiotización:

1) Un proceso que convierte las inscripciones Estructuras Verbales (EV) del Sistema Primario (SP) en Estructuras Verbo-Simbólicas (EVS) del Sistema Secundario (SS) susceptibles de convertirse en Textos (T).

2) Un proceso que otorga una cualidad L (literaria) a las EVS en T. El resultado de ese proceso es la conversión de las EVS de T en EVS de TL. La investigación lingüística nos lleva a afirmar que la investigación literaria —como defiende entre nosotros Pérez Gállego— es un problema de Sociología.

He propuesto como objetivo de la investigación en este campo (Garrido Gallardo, 1978: 480) el estudio de las tipologías de mensajes en relación con las funciones externas del lenguaje como programa de investigación, en sentido lakatosiano, no agotado todavía, del paradigma estructural; vengo afirmando que la investigación sociológica del hecho literario no es un acceso extrínseco, sino la única que puede dar cuenta de la literaturización de discursos cuyas reglas de microtexto (opacidad) o macrotexto (por ejemplo, las reglas de un relato son las de todo relato) son comunes para EVS, textos y no-textos. Afirmo ahora que para investigar el proceso de semiosis que lleva a esta transformación no conozco ninguna salida operativa ni siquiera (tal vez, ni mucho menos) en el seno de la Teoría de la Producción de Signos de Eco (1975: 257-472).

Pero hay más, todas las investigaciones reseñadas se hacen con una base epistemológica y, así, por definición, están llamadas a sustituirse unas a otras *ad infinitum,* perdiendo la entidad misma del hecho literario. Frente a Lotman, afirmo, en clave gnosealógica, que es la dimensión más radical del hombre (su capacidad de descubrir relaciones con «lo otro») el disparador último de una consideración del texto poemático que permite la tripartición de los productos literarios en poéticos logrados/poéticos fallidos/ subliterarios. Cuando se pierde de vista el «sentido común», la ciencia se convierte en la Madeja de Penélope. Si la trayectoria científica postkantiana nos ha permitido el esclarecimiento de propiedades relevantes del discurso, que el realismo aristotélico no nos deje perder de vista el significado de la belleza.

Sólo resta advertir que, con la limitación de estas consideraciones, no se margina ninguna de los problemas básicos que tiene planteada la Teoría de la literatura en sentido amplio y su aplicación analítica a la Crítica literaria. Desde la interpretación psicoanalítica a la de Historia de las ideas, desde los problemas de los géneros y cuestiones retóricas hasta el comparatismo literario (temas todos por desarrollar) encuentran en una teoría así tres puntos de referencia: Lingüística, Sociología y Metafísica, que le son imprescindibles. Me he querido detener en el primero de los tres para subrayar la otra vez nueva necesidad[22] de la conexión de la Teoría literaria con la Lingüística.

¿Y por qué llamar Semiótica a esto?: La Estilística como precedente, la Poética como denominación omnicomprensiva, las Teorías del texto literario como último desarrollo. Sencillamente porque *todos estos caminos tienen en común su atención central al signo* y porque una Teoría del lenguaje literario o Poética de fundamentación lingüística es quizás la única disciplina en este campo que lleva a sus últimas consecuencias la intuición saussureana de la posible semiología: «la vida de los *signos* en el seno de la vida social» (Saussure, 1915: 60).

[22] Si es cierto, como hemos dicho al principio, que la relación entre lingüística y estudio literario no era «novedad» entre nosotros en los años 50; como también hemos advertido, el más reciente «descubrimiento» de la pragmática no debe hacernos desconocer el interés de las disciplinas estrictamente lingüísticas.

LOS GÉNEROS LITERARIOS

Los géneros literarios se tienen por un hecho. A un artista le preguntamos qué está escribiendo y nos responde que prepara una novela, una comedia, un soneto, incluso puede decir que se trata de una novela policiaca o de un soneto amoroso. A un librero le preguntamos dónde están los estantes de cuentos o los libros de poesía o las *novelas rosa,* y no se extraña: nos señalará el lugar sin vacilación. Un sujeto cualquiera, encuestado sobre sus preferencias literarias, podría decir que prefiere la novela, o la lírica o que es aficionado al teatro o que prefiere literatura de otras épocas y que lee las epopeyas clásicas, los autos sacramentales o los libros de caballería.

Por lo demás, todo parece confirmar la obviedad de esta existencia. Las historias de la literatura clasifican el inventario sobre que versan en épocas y, dentro de ellas, en géneros; existen colecciones (hoy en día, por ejemplo) de novela, *Ancora y Delfín,* de Destino; de poesía, *Adonais,* de Rialp; de teatro, *Alfil,* de Escelicer, etc. Más todavía, hay libros o capítulos —como éste— que tienen por objeto los «géneros literarios».

Parece que si hubiera necesidades de demostrar algo, sería la inexistencia de los mismos, postulada por Croce (cfr. 1902, 1910) a principios de siglo; porque en la serie literaria —dentro de la serie cultural— la vigencia de los géneros literarios es universal y apenas encuentra reticencia. Y esto aparece reforzado porque esa agrupación por «géneros» de las obras de arte se da también en la pintura, en la música, etc.

El género se presenta, así, como un horizonte de expectativas para el autor que siempre escribe en los moldes de esta institución literaria (cfr. Wellek y Warren, 1949: 271), aunque sea para crear otros nuevos. Es una «marca» para el lector que posee una idea previa de lo que va a encontrar cuando abre lo que se llama una novela o un poema y es una «señal» para la sociedad que caracteriza como «literario» un texto que tal vez podría ser circulado sin prestar atención a su condición de artístico [1].

Así, como sugiere Juan María Díez Taboada, se puede rastrear la significación de «género» examinando su triple aparición en las mismas obras literarias, en las historias de la literatura y en las poéticas (Díez Taboada, 1965: 12).

La aparición de la expresión «género literario» en la misma obra literaria supone, como hemos dicho, una orientación para el lector y para el público en general; la información, sin embargo, es más o menos amplia. «Colección de Poesía» escrito en algún sitio visible de un libro contemporáneo nos da a conocer que se trata: a) de una obra literaria, b) en verso o en prosa poética, c) probablemente lírica (un relato o un drama en verso se clasificaría como novela, novela corta, cuento, etc., y teatro, respectivamente). Si el libro añade: «sonetos», sabemos ya que nos la hemos de haber con una forma métrica concreta y —según nuestros conocimientos— podemos prever una gama de posibilidades en cuanto a contenido. Si, además, podemos leer «soneto amoroso», es mucho lo que sabemos antes de ponernos a la lectura.

Los géneros suponen, pues, una orientación más o menos precisa que, sin embargo, no nos dice nada *a priori* del valor de la obra cuya adscripción conocemos. El soneto amoroso del ejemplo en cuestión puede ser bueno o malo, original o trillado, elevado o vulgar.

Claro que la misma orientación puede haber sido utilizada por el autor como factor de sorpresa y resulta que en la «novela» que abrimos no se encuentre ningún relato o que la columna de periódico que leemos —adscrita, en principio, a un «género no literario» sea, en realidad ,un poema perfectamente metrificado en lo

---

[1] En efecto, el *género* es una dimensión fundamentalmente pragmática de la literatura. El género como «marca» ha de atenerse a una serie de reglas esperables por el lector que verifica ese acto de la palabra literario (cfr., para el ejemplo de la autobiografía, Bruss, 1974: 16). En cuanto al género como «señal», he de decir que quiero sugerir una doble realidad: la «marca» genérica (novela, poesía, etc.) en los circuitos comerciales obliga a considerar como «literatura» (obra de ficción/obra de creación) unos productos. A su vez, el que uno o varios receptores lleguen a conseguir la aceptación social de un texto «señalado» como literario obliga a buscar una marca genérica para ese producto.

El desarrollo actual de los estudios sobre el lector (Charles, 1977; Eco, 1980) y de teoría de la recepción (Jauss, 1970; Iser, 1972) no dejan lugar a dudas sobre lo fundamentado de estas aserciones.

que lo único que se ha transgredido es la convención de los renglones cortos, en vez de los cuales se han colocado los versos uno detrás de otro en disposición de prosa. En todo caso, si procedimientos extremos como éstos llaman la atención, es indudable que la convención genérica existe. Si no, el lector no se daría cuenta de que está ante un «extrañamiento».

La clasificación por géneros literarios va unida indisolublemente a la historia de las series de modelos estilísticos que han tenido una vigencia y que han desaparecido o pueden desaparecer. Difícilmente hoy nadie escribiría una epopeya como la *Ilíada* ni un poema épico como *La Araucana*. La novela como haz de rasgos (cfr. Tomasevski, 1925: 228-232) estilísticos tiene ya una vigencia de varios siglos, pero no tiene garantizada la eternidad de su permanencia. Es más, dicha vigencia aparece como problemática en cuanto nos damos cuenta, por ejemplo, de que bajo el mismo rótulo de «novela» se clasifican *El Quijote*, *Ulises* o *Rayuela*.

Los géneros, así considerados, remiten a unas coordenadas espacio-temporales, son manifestación de las posibilidades creadoras del hombre y también de la temporalidad de todo quehacer humano. ¿Qué tiene que ver la especificación —probablemente genérica— del *Mester de Clerecía* (cfr. Salvador Miguel, 1979) con la división entre novelas, poesías y obras de teatro en que se agota la literatura de creación contemporánea si no entramos en los problemas fronterizos de géneros como el ensayo o determinados tratamientos de géneros peridísticos?

Géneros y diacronía están, pues, inextricablemente relacionados. En cada época histórico-literaria un autor ha producido un hallazgo (ese haz estilístico a que antes nos referíamos) y otros muchos autores han seguido la fórmula como una receta, imitándola sin conseguirlo o superando sus resultados. No sólo las épocas clásicas que reconocían como finalidad la imitación de un modelo se han inspirado en él. Toda la Literatura —como institución social— funciona así.

Hay que decir que el inventor del género siempre habrá tenido que partir, de modo más o menos visible, de lo preexistente (Lázaro Carreter, 1976b: 117-118). No tiene nada de extraño que en épocas pasadas se haya visto erróneamente en estos cambios la manifestación de una evolución cuasi biológica (Brunetière, 1890).

Las Poéticas o Tratados sobre los géneros literarios se dividen en dos grandes grupos a la hora de considerar su objeto: las que se limitan a teorizar sobre los géneros existentes en el momento en que el teórico escribe y las que intentan inferir principios más o menos universales por los que se rigen los géneros. Cada uno de estos dos grupos pueden subdividirse a la vez por su finalidad. Uno es el de aquellas poéticas que sólo quieren describir el fenómenos a que se refieren; otro el de las que pretenden obtener un recetario (preceptivas) para el buen escribir.

Ni que decir tiene que la distinción aquí formulada no es tan tajante en la realidad. La *Poética* de Aristóteles es descriptiva y también prescriptiva, aunque en menor medida de lo que podría hacer creer su utilización posterior en las épocas clásicas. Por otra parte, aun en épocas de preceptivas clasicistas (o, quizás, sobre todo en ellas) los autores pueden ir por otro camino que la teoría, como es el caso, por ejemplo, de Lope, que sobrepasa, en la práctica, no sólo las viejas poéticas de las unidades, de su tiempo, sino incluso la teoría explícita en el *Arte Nuevo de Hacer Comedias* que se vio en la necesidad de componer para justificar sus nuevos modos (cfr. Rozas, 1976). No es infrecuente tampoco el hecho de que los críticos dictaminen con acierto, siguiendo su propia intuición, y se apoyen en una teoría que nada tiene que ver con la práctica que alaban. Así, por ejemplo, le ocurre a Larra cuando celebra *La Raquel,* de García de la Huerta, tragedia en nada parecida a los cánones en cuya virtud la aplaude.

Aunque las últimas Poéticas contemporáneas son, por lo general, teóricas, descriptivas y no normativas (el «realismo socialista» ha sido, quizás, el último de los «recetarios»), no se puede desconocer la pertenencia de una obra a ese *continuum* ordenado que supone su clasificación genérica.

Juan María Díez Taboada señala, por otra parte, que la oposición que, a veces, se ha formulado entre genio y género resulta ingenua. Ejemplifica así:

> El genio puede darse dentro del género en cualquiera de estas funciones: Homero es para nosotros un fundador genial del género, Virgilio un seguidor genial de un género, Cervantes un aniquilador genial de un género.

En efecto, el autor que no sigue las reglas del género en cuya adscripción estamos tentados de amparar su obra, puede hacerlo por dos motivos: por incompetencia o porque está roturando nuevos caminos. La línea divisoria entre el seguidor torpe y el inventor genial no es tan gruesa como para ser divisada inequívocamente en todos los casos. Si, como hemos dicho, el género es una «institución»,

> es lógico que en ella se den, además del fundador que trace una primera obra modélica o programática, afiliados que sigan a la letra y escrupulosamente a ese fundador como modelo, perezosos que lo olviden, reformadores que lo pongan de nuevo en vigor o lo adapten a circunstancias históricas nuevas, detractores que lo critiquen, contradigan o parodien, buscando sus limitaciones; teóricos que en cada momento traten de fijar, a veces pedantemente, sus caracteres; aniquiladores que lo combatan y lo acaben; destruyéndolo o agotándolo; continuadores que recojan el prestigio de su nombre para nuevas realidades por ellos fundadas o que en época distinta pongan nuevos nombres a cosas que en fin de cuentas resultan tan semejantes que podrían ser llamadas con igual denominación (Díez Taboada, 1965: 15).

Se ha dicho ya muchas veces que la pretensión de la lingüística idealista es rigurosamente contradictoria con la noción de Ciencia. Esta trata, por definición, de lo general: por ello la clasificación genérica es de orden científico. Pero si, como preconiza la escuela idealista, cada acto de la palabra fuera único, irrepetible, radicalmente original y sin posible parentesco con otro, sin duda cada obra constituiría un género distinto o, dicho de otro modo, no habría géneros. La experiencia está del lado de la posibilidad de observar afinidades entre obras y no del de la absoluta originalidad. Por otra parte, insistimos, el fundador de un género puede ser un artista mediocre y un continuador puede llegar a ser genial. La oposición de que venimos tratando es más que ingenua: se trata de un falso problema.

El género, como forma histórica, ha nacido en un momento dado, sin duda casi siempre como una fórmula límite de otro género preexistente. No es aventurado suponer que *El Quijote* fue sentido en su tiempo como una novedosa paródica novela de caballerías. En ese momento inicial no tenemos «novela moderna» o «novela existencial». Pero en cuanto otros autores han seguido por ese mismo camino conscientemente y los lectores pueden «reconocer» un conjunto que nada tiene que ver con las novelas de caballerías, pero sí con *El Quijote*, estamos ante un género, cauce para el autor y síntoma para el lector. Y es entonces cuando los teóricos se afanarán en definir los rasgos «propios» del género o intentarán explicar ese producto histórico en función de las teorizaciones generales que englobaban a los géneros históricos conocidos con anterioridad.

Quede claro, sin embargo, que no se ha querido decir aquí que *El Quijote* —ni ninguna otra obra— *funde* un género en sentido radical. El paso de una tradición estilística a otra se debe producir como fenómeno de alteración dialectal con inicios simultáneos, titubeos, líneas de fluctuación, etc., hasta llegar a la forma triunfante. Nótese que si no es posible hoy hablar de Ley Fonética en sentido estricto, mucho menos será posible hablar de Ley Literaria. Lo que entra en juego en ella afecta tan de lleno al nivel semántico del lenguaje que se ha de suponer que su evolución histórica atañe un número mucho mayor de unidades y, por consiguiente, no goza de prácticamente ninguna previsibilidad (cfr. Nöth, 1975, y Ryan, 1979).

Las tres maneras que venimos considerando de contemplar el fenómeno del género literario no siempre han podido evitar caer en la generalización totalitaria de sus respectivos puntos de vista.

El teórico ha tendido a otorgar carácter absoluto a sus formulaciones casi siempre condicionadas, como es lógico, por la realidad de la producción literaria en su época o, en todo caso, por la tradición histórica hasta llegar a su momento. Pero si algo hay claro en la cuestión de los géneros es la empírica movilidad de los mismos, sus continuas sustituciones y sus diferencias en el espacio y en el tiempo (eso, sin contar con la variación de nomenclatura que explica por ejemplo, que la *Divina Comedia,* de Dante, se llama así —«comedia»— no por ser teatro, sino porque termina bien (cfr. Pérez Priego, 1978: 152). Espigando géneros históricos —y prescindiendo de los términos más constantes— encontramos: en la Edad Media, la *Chançon de Geste, lai, nouvelle, fábula, fabliella, exemplo, apólogo, proverbio, castigo, milagro, misterio, auto, farsa, juegos de escarnio,* etc.; en el Renacimiento, *tragicomedia, commedia dell'arte, romanzo, idilio, oda, rondó, balada, madrigal, sátira, vodevil,* etc.; en el siglo XVIII, *himno, ditirambo, salmo, oda, soneto, elegía, epístola, canción,* etc. (cfr. Fubini, 1956: 143-174; Garasa, 1969; Viétor, 1931).

Los géneros tampoco son un producto meramente histórico-social o fruto de una evolución necesaria como pudo sostenerse por los cientifistas del siglo XIX a los que aludíamos antes, que querían reducir todo a una suerte de esquema darwinista. Dependen de las posibilidades creadoras del hombre y están limitados por las reglas de funcionamiento del lenguaje. Hoy alguien podría escribir una epopeya (otra cosa es la repercusión social que tuviera), pero no podría ser autor de una fórmula nueva —evolución incluso de otra actual— rigurosamente ininteligible. Los poemas realizados puramente con sonidos sin la codificación de lengua natural alguna pertenecen —por definición— a otra esfera del arte (¿la música?) pero no a la literatura.

En cuanto al problema de confrontación del marbete genérico y la singularidad de la obra, hay que tener en cuenta, además de lo dicho a propósito de la genialidad del autor, la identidad —aunque sea sólo de registros lingüísticos— que subyace en obras aparentemente muy distintas. Los formalistas rusos pusieron ya de relieve a principios de siglo la importancia, en este aspecto, de la subliteratura y en la década de los 60 y los 70 los abundantes estudios sobre estructura de la comunicación narrativa han demostrado que el esquema básico del relato y las variantes combinatorias posibles son las mismas en la elocución sin intencionalidad artística, en la de productos de la cultura de masas y en la alta literatura (cfr., por ejemplo, *Recherches semiologiques,* 1964, y *L'Analyse structurale du récit,* 1966).

Tienen sentido, en consecuencia, las agrupaciones que llamamos «género», pues, sin despreciar la capacidad creadora de cada autor, éste no ha podido ir nunca más allá de las posibilidades de juego que le ofrece la lengua natural de que se trate. La riqueza de contenido, la perfección de la expresión y la adecuada relación entre contenido y expresión (esto es, las formas estilísticas del género) serán las bases de la calificación del valor estético de la obra, de la consideración del genio.

La genialidad puede radicar también en forzar al código a nuevos mensajes no previstos hasta el momento, lo que, como hemos dicho, será sentido por el receptor como una desviación con respecto a la institución que él esperaba, aunque históricamente puede revelarse como la eclosión de un género distinto.

¿Cuál es la importancia de la categoría «género» en los estudios literarios?

Dado que todo estudio científico, antes o después, tiene que clasificar los objetos de su interés, la división por géneros es, como sigue diciendo Díez Taboada (1965: 19), la más intrínseca de cuantas se pueden establecer en la Literatura. Las clasificaciones por escuelas, generaciones, movimientos, épocas, etc., están ligadas con el objeto literario, pero precisamente lo están —como hemos expuesto— a través de la institución del género.

El género, en efecto, por una parte, es estructura de la obra misma y, por otra, vehículo de comparación con las demás de su época y de toda la historia. La peculiaridad estilística de un producto resaltará sin duda más, puesto en relación con todos los que comparten esa estructura común que se llama género.

Por otra parte, el género, al situarse en una zona intermedia entre la obra individual y la literatura toda como institución, nos permite indagar las relaciones entre estructura y temática, forma (del contenido y de la expresión) e historia. ¿Cuáles son las realidades sociales que en un momento dado invitan a unas formas y prohiben otras? ¿Cuáles son los temas que pueden ser tratados en una determinada estructura o cuáles aquellos que, de hecho, no se han intentado nunca o sus intentos han resultado fallidos?

Además, si la obra es colaboración del hombre con el lenguaje, ¿qué posibilidades y qué límites ofrece éste a juzgar por los géneros en que se manifiesta?

Parece que no debe caber duda acerca de que el estudio de los géneros literarios es una encrucijada privilegiada para otear los principales problemas de la teoría de la literatura atendiendo a la vez a la creación individual, al componente lingüístico y al factor social.

Cuanto acabamos de decir deja apuntada la complejidad de esta cuestión que trata, en síntesis, de preguntarse, una vez admitidos que existen, qué y cuántos son los géneros literarios.

De lo dicho podemos deducir también que género literario es cada uno de los apartados en que se clasifica el conjunto de las obras literarias, pero, como señala Todorov (1978: 47), eso no sería más que un juego metalingüístico que nada aclara. En efecto, el género consiste en una división de la literatura, pero ¿en qué consiste esa división?

En cuanto a la cuestión del número, intuimos una doble vía, la que nos lleva a recordar la clasificación sabida desde la escuela, que habla de Epica, Lírica, Drama y quizás algún género más, variable de unos autores a otros, y la gran multiplicidad de ellos que llevamos ya nombrados. Espontáneamente estamos tentados de pensar que existen unos grandes géneros que engloban a los demás como subdivisiones. ¿Es esto así?

Para intentar una respuesta, repasemos algunas de las clasificaciones más comunes en nuestros siglo XX para cuya ordenación será bueno acudir al esquema básico de la comunicación literaria.

Como sabemos, en toda comunicación o enunciación literaria se da un autor que compone un mensaje, enunciado o texto. La comunicación se produce cuando un receptor recibe ese mensaje (normalmente en diferido) como lector.

El texto en cuestión puede hacer claramente referencia a un contexto verbal o extraverbal o puede presentarse en forma de enunciado abstracto. En este segundo caso no deja de tener un cierto referente: convicciones generales aceptadas por todos los hombres o por los hombres de una época, etc. Unos ejemplos bien elementales fijarán lo que venimos diciendo:

a) *El cartero vino ayer a las 8*
b) *D. Quijote es un gran personaje*
c) *Amar es bueno*

son frases cuya referencia es respectivamente extraverbal (a), verbal en la línea de lo que Julia Kristeva ha llamado intertextualidad (b) o inviscerada en el propio discurso (c) constituido en discurso abstracto.

Por otra parte, el autor se configura —aun sin quererlo— en cierta medida como portavoz de un sector de su sociedad y se dirige, en principio, no a un lector sino a una pluralidad de lectores de cuya aceptación media dependerá el éxito o fracaso de su obra.

En fin, el mensaje que se quiere transmitir se ha codificado de acuerdo con una determinada forma (de contenido y de expresión) de cuya eficacia para ser descodificada adecuadamente por el receptor dependerá en gran medida su validez como texto artístico.

Así, nos proponemos aquí integrar todas las opiniones que aduciremos, bajo alguno de estos cinco epígrafes: autor, receptor, contenido, forma y sociedad.

Hay que advertir inmediatamente que esta clasificación es sumamente artificial. La intención del autor y el efecto que produce sobre el receptor son factores mutuamente implicados y en la medida en que la intención del autor se haya logrado, se identifica con lo que es recibido como descubrimiento por el receptor. Además, «forma de contenido» y «forma de la expresión» son caras inseparables de una misma moneda (no hay manera de hallar una expresión sin contenido o viceversa) y ambas son procedimientos precisos para traducir en mensaje la posición del autor y lograr el consiguiente efecto sobre el receptor.

Por esta causa, muchos de los tratadistas cuyas opiniones insertaremos podrían con facilidad ser cambiados de epígrafe sin que se pudiera decir que su nueva localización es menos ajustada que la que ahora les atribuímos. Hemos procurado distribuir bien en cada apartado a los que claramente se centran en el respectivo aspecto y hemos alojado bastante arbitrariamente a los demás.

Por «contenido» se entenderá la carga semántica del texto sin especificar las relaciones referenciales que, a tenor de lo dicho, puedan existir. Por «forma», entendemos la configuración de cada mensaje tanto en el nivel semántico cuanto en el fonético o gramatical. Visto desde este lado, tampoco es fácil separar «visión del mundo» del autor y forma del contenido del mensaje.

Nos valdremos para esta encuesta del libro *Beyond Genre*, de Paul Hernadi (1972), cuyos resúmenes seguiremos con frecuencia casi al pie de la letra. El orden de los autores, dentro de cada apartado, es simplemente el cronológico de la aparición de la primera edición de la obra que se cite. La lectura de los diferentes textos hace que salte a la vista, sin embargo, las afinidades y discrepancias de los distintos teóricos.

Autor

No es infrecuente poner en relación la clasificación de las obras literarias en géneros con la postura o intención del autor. Hay que tener en cuenta que no confundimos al autor con el escritor. La persona que escribe puede adoptar un punto de vista o expresar unas sensaciones o emociones que no sean las suyas. Claro es, sin embargo que la crítica psicológica intenta remontarse desde el discurso al escritor, utilizando el texto como indicio (incluso psicoanalítico) de intenciones, frustraciones, obsesiones o, en general, «fantasmas» de la mente del autor.

Ernst Hirt (Hernadi, 1972: 11) concibe la aproximación a los géneros como una oposición Yo/Mundo. El autor puede o bien «representarse» a sí mismo o bien «informar» de los objetos. Dicho de otra manera puede *representar* a personajes, representarse a sí mismo o *informar*. En el primer caso, nos encontramos ante el *drama;* en el segundo, ante la poesía *lírica*. En la *épica,* alternan los informes del autor acerca de los personajes, la autorrepresentación y la presentación de personajes como personajes informativos, personajes reflexivos y personajes dialogados.

Desde la perspectiva del «yo» podríamos decir que el autor puede optar entre ver el mundo «desde fuera» (épica) o experimentario desde dentro y, dentro de esta segunda opción, mostrar su experiencia como individuo (lírica) o como punto de vista experimental de varios individuos (drama).

Robert Hart (Hernadi, 1972: 40-41) propone una clasificación genérica de base antropológica al relacionar los géneros con la traducción de las «potencias del alma» hecha por la hoy desacreditada psicología empírica de principios del siglo XX. Así, en correlación con las «funciones del sistema nervioso» de Adolf Stöhr, encontraríamos el drama («experiencia motora»), la narrativa («experiencia imaginativa»), lírica («experiencia vasomotora»).

Se trata de interpretar con referencia al autor la vinculación que Goethe, J. P. Richter y Hegel proponen entre narrativa y acontecimiento, drama y acción.

R. Petsch (Hernadi, 1972: 13) retoma la subdivisión de Goethe en las tres «formas naturales» del poema: excitación entusiasmada, narración lúcida y acción personal: en la épica el autor actúa como «rapsoda imparcial» frente a actor comprometido; en el drama, se da, de acuerdo con A. W. Schlegel y Hegel, una síntesis de subjetividad lírica y objetividad épica.

Dentro de la crítica norteamericana de la primera mitad de nuestro siglo, entresacamos a Kenneth Burke (Hernadi, 1972: 16) para este apartado de «autor» por el ascendiente freudiano de sus escritos, si bien es verdad que esta cosmovisión se combina en su obra con interpretaciones propias de la sociología marxista.

Con terminología de carácter filosófico —y poco rigurosa— basa la clasificación de los hechos literarios en la triple esfera del *sí*, el *no*, y el *quizás*.

En el *sí*, se encuentran el poema épico, tragedia y comedia, humor y *carpe diem* como «marcos de aceptación».

Ante el héroeo de la epopeya, se adquiere un sentido de humildad mezclado con una identificación parcial que provocan la autojustificación. Humildad y exaltación van juntas en los relatos de un ser superior que está a la altura de la situación que afronta.

Tragedia y comedia son dos formas de «liberación» del orgullo; pero mientras la tragedia subraya la soberbia como causa de crímenes inspirados en el temor, la comedia la descalifica al tratarla como una simple equivocación.

El Humor, por fin, es aquel género literario en que se prescinde deliberadamente del carácter conflictivo de la vida.

En la esfera del *no*, se clasifican la Elegía, la Sátira y la Parodia. La Elegía es fórmula de rechazo según el procedimiento aristotélico de la purgación basada en la medicina homeopática, es decir, en la moderna vacuna: un poco de veneno inmuniza contra la enfermedad. La sátira también es una especie de lamentación, pero presentada como aproximación desde fuera a lo rechazable, mientras que la Parodia supone una «purgación lógica por reducción al absurdo».

En la esfera del *quizás* se encuentran lo Grotesco y lo Didáctico. En lo Grotesco se produce el culto de la incongruencia sin la risa, mientras que lo *didáctico* equivale al discurso retórico o de propaganda y, como diremos, tiene cuestionada su inclusión como género literario, no porque se dude de que sea género, sino porque se duda de que sea literario. Lo Grotesco y lo Didáctico están en la zona límite entre la obra de creación y la prosa pragmática.

Insistamos, por fin, aunque no sea del lugar, en las instancias sociológicas que, según Burke, explican los géneros:

> El surgimiento del «individualismo mercantil» en la Atenas de Pericles habría agudizado la conciencia de la ambición personal como móvil de los actos humanos y, así, Burke atribuye a los tres grandes trágicos una «actitud piadosa, ortodoxa, conservadora, *reaccionaria* hacia esa clase de soberbia» (pág. 39). Pero está claro que en la tragedia griega estaba en juego la soberbia (hybris) de los gobernantes heroicos y nunca la de los mercaderes (Hernadi, 1972: 15-16).

Receptor

Th. A. Meyer (Hernadi, 1972: 30), con un procedimiento que también podríamos clasificar como formal, observa una triple situación del receptor ante el lenguaje: la de la identificación con los personajes («impulso mímico»), propia del drama, la falta de observación por parte del receptor de la aparición de emociones, que identifican, al menos verbalmente, «yo lírico y yo» o la observación imparcial por parte del receptor que caracteriza el *epos*.

Wolf Dohrn (Hernadi, 1972: 30-32) distingue entre «informe» *(Bericht)*, «declaración» *(Ausserung)* y «manifestación» *(Kundgabe)* y Hernadi cree plausiblemente que relaciona esto con la triple percepción épica, lírica, dramática.

En la percepción épica, el receptor reacciona ante un objeto estético; en la dramática, percibe seres humanos tal como se manifiestan; en la lírica, el receptor acepta el «yo lírico», dando lugar a una forma muy especial de comunicación.

Wolfgang Victor Ruttkowski (1968: 47-104), que parte de la doctrina establecida por Emil Staiger, al que nos referiremos más adelante, detecta la presencia de la «actitud artística» o apelación al receptor en todas las obras literarias, aunque no en todas esa actitud sea dominante.

Junto a lo épico, lo lírico y lo dramático, Ruttkowski reclama el estatuto de género literario para lo didáctico, género que incluye una serie de manifestaciones en que se da esa actitud artística o llamamiento directo del escritor a los receptores. Así, el texto teatral, los sermones, ensayos, aforismos, dedicatorias, canciones ligeras, etc. Como vemos, en este caso, se resuelve, por la vía de su inclusión, las dudas sobre la *literariedad* de algún *género* o discurso que ha estado siempre en la frontera entre la obra de creación y la literatura pragmática.

Ruttkowski ilustra esta omnipresente «actitud artística» aduciendo las novelas irónicas de Thomas Mann, poemas satíricos de E. Kästner, las canciones *ad spectatores* de las obras de Bertold Brecht, etc.

Contenido

Por contenido, como hemos dicho, entenderemos en este apartado tanto el aspecto semántico del mensaje cuanto los aspectos referenciales.

Atendiendo a esto, Croce tanto en su *Estética* (1902) como en sus *Problemas* (1910) plantea la no existencia de los géneros. Según él, el proceso completo de la producción estética puede ser simbolizado en cuatro estados, a saber:

a) *impresiones*
b) *expresión* o síntesis espiritual
c) *sentimiento* hedonista o placer de lo bello
d) *traducción* del hecho estético en fenómeno físico (sonidos, tonos, movimientos, combinación de líneas, colores, etc.).

Afirma que el único punto esencial, el único que es propia y verdaderamente real es el *b*, que carece de la manifestación pura o construcción naturalista llamada metafóricamente expresión.

De ahí, se llega a la conclusión de que cada acto de la palabra es único e irrepetible y, por lo tanto, no tiene sentido plantearse el problema de los géneros como agrupación que recoge una pluralidad de obras. Los géneros, seguirá, no son «impresiones» que pueden llegar a constituirse en obras artísticas, son «divisiones científicas», es decir inútiles para el conocimiento del arte.

Frente a toda evidencia, Croce sostiene que todo acto artístico es *absolutamente* creador, irrepetible y, por consiguiente, inaugura una línea de desprecio por los géneros, sospechosos siempre de ser meras cuadrículas impuestas por las épocas clásicas.

Ernest Bovet (Hernadi, 1972: 10) observa que la reacción de Croce es justa frente a los excesos del histocismo positivista decimonónico que quiso convertir la sucesión histórica de los géneros literarios en una evolución de tipo darwinista. Fue, sin duda, *L'Evolution des genres,* de F. Brunetière lo que exasperó a Croce.

Bovet, por eso, postula eclécticamente combinar los aciertos del análisis positivista con los de la síntesis croceana: habría que distinguir, por una parte, los elementos comunes y, por otra, las combinaciones individuales.

Los géneros responderían en su opinión a los «modos esenciales de concebir la vida y el universo». Y esos modos son —siguiendo la tradición— tres: lírico (fe frente a desesperación), épico (acción frente a pasión), drama (crisis que tiende a la serenidad). Se relacionan —sigue diciendo— con la visión de juventud, madurez y vejez, lo que remite al «Prefacio» de *Cronwell,* de Víctor Hugo, y a su intuición de las «tres edades» de la Humanidad que relaciona con la división entre literatura bíblica, homérica y oriental.

En definitiva cae en el error —tan frecuente— de intentar explicar los géneros como «una ley de la historia literaria que se explica por una evolución general».

Theophil Spoerri (Hernadi, 1972: 12), en la línea idealista que hace remontar la coherencia de la obra a un origen subjetivo en el autor, considera que los géneros traducen tres diversas concepciones del mundo:

«Estática», que refiere asuntos externos en cuanto tales (lo épico).
«Dinámica», que expresa la energía más íntima del alma (lírica).
«Normas directivas» del espíritu (lo dramático).

En correlación con los tres géneros, el poeta épico «ve» la realidad como mundo, cuerpo, cosa, sentido común y pasado; el poeta lírico como yo, alma, impulso, emoción y presente; y el dramático, como mundo de las normas: Dios, espíritu *(Geist),* valor, voluntad y futuro.

En la misma línea de buscar la correlación entre la obra y visión del mundo, se encuentra el libro de Leonhard Beriger, *Die literarische Wertung.* La gran lírica alemana (Goethe, Hölderlin,

Mörike, Shelley y Keats) provendría de un «sentimiento del mundo» *(Weltgefühl)* místico-panteista; la tragedia de una «imagen del mundo» *(Weltbild)* dualista-idealista; la novela, de una visión determinista y escéptica mientras que las *Novellen* del renacimiento italiano y el romanticismo alemán son resultado de la «creencia en el significado de un destino individual» (Hernadi, 1972: 13).

Una raíz distinta, la que viene de Hipólito Taine (quien consideraba la literatura como resultado determinado por la raza, el medio y el ambiente) es la que se advierte en la propuesta del teórico Paul Van Tieghem (1938) cuando considera los géneros como expresiones de necesidades e intereses personales (sentimentales, intelectuales, religiosos) o sociales del hombre.

Emil Staiger (1946) protagoniza uno de los intentos más serios del presente siglo para hallar una solución al problema de los géneros en el marco de una antropología general.

Observa con razón que las tres denominaciones genéricas, consideradas como «formas naturales» por Goethe y toda una tradición se encuentran actualmente en una situación de confusión. Llamamos drama al texto que se pone en escena, pero podemos decir, tras ver una obra de teatro, que no es esencialmente dramática. También podemos hablar del drama lírico. Unimos épica y narración en verso, pero encontramos «narraciones líricas» y novelas o relatos en prosa. Se habla de poesía lírica, pero hay poesía que no es lírica.

Para salir de este atolladero, Staiger propone que Epica, Lírica y Drama se entiendan como nombres que designan una especialidad a la que pertenece una obra literaria como totalidad en virtud de determinados caracteres predominantes: lo épico, lo lírico, lo dramático. Lo lírico, por ejemplo, no es solamente la lírica o «representación monologada de un estado a gusto de cada uno», sino lo que determina que *tal* representación monologada sea lírica, frente a las que no lo son esencialmente.

La relación entre «épica» y «épico», «lírica» y «lírico», «dramático» y «drama», no es —sigue diciendo Staiger— la que hay entre, por ejemplo, «leña» y «leñoso», sino entre «hombre» y «humano».

En consecuencia, no tendría sentido plantearse la descripción de todas las especialidades posibles en las que se pueden dar cada uno de estos tres caracteres, sino que habría que buscar la esencia de «lo épico», «lo lírico», «lo dramático», que «entrañan cualidades simples y, como tales cualidades no pueden ser perturbadas por la irisación y el carácter cambiante de cada obra de creación literaria en particular» (Staiger, 1946: 241).

Desde esta postura, no se puede esperar, en consecuencia, contribución alguna a la determinación de los «géneros históricos». Lo que cabe extraer son juicios de valor en el estudio de las obras singulares: «una obra es más perfecta cuando se mantiene más en el medio y no en las dos situaciones fronterizas de lo lírico, que amenaza diluir, o de lo dramático que conduce a la rigidez; o una obra es más perfecta cuando los tres géneros tiene todos la mayor participación posible y están completamente equilibrados» (Staiger, 1976: 257).

Las críticas posteriores al esquema de Staiger se han centrado, sobre todo, en el carácter arbitrario de esta división en *tres* (y sólo tres) géneros fundamentales o tipos de la creación literaria, que se adhieren así, por otro camino, a la criticable teoría de las *Naturformen*, que ya hemos visto también recogida en casi todos los autores. G. Boeckh , Will Flemming o Seidler se oponen a esta tripartición (cfr. Hernadi, 1972: 27). Este último, en concreto, propone añadir «lo didáctico» a la trilogía tradicional, postura en la que coincide —como hemos visto— con Ruttkowski.

Una división bipartita de raigambre clásica es la que propone Käte Hamburger (1957) al distinguir entre contenidos que manifiestan «experiencia de no realidad» y «declaraciones concernientes a la realidad».

Así, la lírica sería el «género existencial» que se basa en declaraciones del sujeto acerca del objeto; frente al «género mimético» (drama y narrativa) que *imita* o *re-presenta*.

«Drama» y «narrativa» quedan aquí englobadas en el género más amplio de «ficción». La «ficcionalización» alcanza tanto al pretérito del narrador mimético como al presente aparente del diálogo teatral o de las obras narrativas. Esto le conduce a la apreciación de considerar el teatro como una obra de ficción mimética más en la que «la función de narración se ha vuelto igual a cero» (cfr. págs. 119 y ss.).

A esta bipartición, cabría oponerle el contraejemplo de las historias narradas en primera persona, de lenguaje, por consiguiente, en «género existencial», a pesar de la similitud «superficial» entre estas y las otras narraciones generalmente miméticas.

FORMA

Es natural que sea la forma del mensaje (contenido y expresión) el elemento que concita mayor número de trabajos modernos sobre fundamentación de los géneros. Lo más «tangible», por decirlo así, del proceso de comunicación que une autor con receptor es la forma del mensaje en juego. Entre otras razones, porque el modo de proceder del autor como autor, las exigencias deícticas y la intencionalidad de influencia en el receptor se traducen en *huellas formales* en el mensaje que debe responder así a tales condicionamientos y exigencias.

Percy Lubbock, pionero de las investigaciones sobre la narrativa ofrece la antigua diferenciación platónica de los discursos, matizada en cuatro modos que son, según resume Hernadi (1972: 51), los siguientes:

a) de *informe panorámico* (el propio del narrador omnisciente)
b) de *narrador dramatizado* (el narrador está implicado en el argumento)
c) *dramático o escénico* en el que «la historia se representa a través de su apariencia y comportamiento en unos momentos determinados»
d) de mente dramatizada: «el ojo que ve pertenece a alguien en el libro».

No es el momento aquí de entrar en disquisiciones de lo que suponen estos cuatro apartados como principio de subdivisión de los *géneros* de la narrativa. Por otra parte, Lubbock no conocía aún la investigación moderna sobre el estilo indirecto libre que ha caracterizado tanto a la narrativa contemporánea. Baste con decir que deja apuntado, así, con sagacidad una posible diferenciación entre el texto del relato y el texto dramático.

Famosa es la clasificación de André Jolles (1930: 269-272) que pretende vincular a nueve formas básicas todos los géneros literarios: *leyenda (Legende), saga (Sage), mito (Mythe), adivinanza (Rätsel), proverbio (Spruch), anécdota (Kasus), memorial (Memorabile), cuento (Mänchen)* y *chiste (Witz)*. Sin dejar de ser atendible el deseo de concretar las microformas textuales que componen los géneros, toda la crítica está de acuerdo en que el que sean nueve —y precisamente nueve— no es más que el resultado del mito del número tres.

También un aspecto en cierto modo formal —el tiempo— sirve par diferenciar narración y drama en la obra de R. Ingarden (1931:

252-257): en el relato el «punto cero» de la orientación temporal *(Nullpunkt)* puede ser un punto constante de referencia inicial, o bien seguir el desarrollo de la historia. Las obras narrativas que se adhieren formalmente al «modo presente» de representación emplean un método característico del drama.

En la caracterización formal de los géneros que venimos viendo se atribuye al hecho genérico diversos orígenes y funcionalidades. Así, Pierre Kohler los considera «fórmulas» que sirven para el ordenamiento *(mise en ordre)* de la producción literaria, lo que que lleva a defender hasta rígidas normas formales como las de la *tragedie classique.* La posición más frecuente, sin embargo, es la de consagrar el proyecto que se concreta alrededor de la tripartición de los géneros en la que coinciden, en torno a 1800, Schlegel, Schelling, Goethe, Jean Paul Richter y Hegel entre otros. Sin duda la rueda de J. Petersen es una de las contribuciones más famosas en esta línea. Retoma el proyecto goetheano de colocar *Epos, Lyrik, Drama* en un círculo y ordenar las obras singulares alrededor de los tres *naturarten:* épica (informe), lírica (condición) y dramática (diálogo) (cfr. Hernadi, 1972: 17 y ss.).

En esta tradición hay que situar, sin duda, a W. Kayser (1948: 441) que transcribe el esquema de H. Junker, explicativo de los tres grandes géneros «fundamentales» y englobadores de todos los géneros históricos presentes o por venir. El esquema es el siguiente:

Función	*Dirección*	*Persona*	*Esfera de la vivencia*	*Grupos*
Manifestación *(Kundgabe)*	Expresiva *(Expressiv)*	Yo *(Ich)*	Emocional *(Emotional)*	Talante, sentimiento *(Stimmung, Gefühl)*
Incitación *(Auslösung)*	Impresiva *(Impressiv)*	tú *(du)*	Intencional *(Intentional)*	Mandato, deseo *(Befehl, Wunsch)* Pregunta, duda *(Frage)* *(Zweifel)* tendencia *(Streben)*
Exposición *(Darstellung)*	objetiva *(factiv)* demostrativo *(demostrativ)*	el, ella, ello *(er, sie, es)*	racional *(rational)*	representación *(Vorstellung)* pensamiento *(Denken)*

Como se ve, el carácter lírico, dramático o épico está subsumido en una concepción de «funciones del lenguaje» (o, aproximadamente, aquello para lo que el lenguaje sirve) del mismo tenor que la de K. Bühler (1934: 62-75). En Kayser, sin embargo, estas funciones se concretan en modos formales de discurso en la línea de lo que luego habría de ser las funciones del esquema jakobsoniano.

Las tres «formas técnicas de presentación» son huellas en el texto, como he escrito en otra parte, del subrayado que se impone a alguno o algunos de los elementos que participan en el proceso de comunicación lingüística. Kayser, aceptándolo implícitamente así, aun en una época en que tal teoría no estaba desarrollada, ve conveniente acercar esos tres principios de lo lírico, lo épico y lo dramático hasta los géneros literarios concretos, históricos, que nos son dados contemplar. Para ello, distingue en cada forma tres subgéneros. La forma lírica engloba la *enunciación lírica, apóstrofe lírico* y *lenguaje de canción;* la forma épica, la obra de *personaje, espacio* o *acción* y lo mismo la forma dramática *(personaje, espacio, acción)*. De nuevo, el respeto al número tres y la clasificación gradual con obras líricas «más o menos dramáticas» y obras dramáticas más o menos líricas, etc. La rueda de J. Petersen parece un universal. Los nueve géneros resultantes no son, claro, las formas históricas todavía, pero, según Kayser, de cada uno de ellos se pueden empezar a derivar directamente.

La tradición del tres por tres conoce, sin embargo, excepciones. Así, Henri Bonnet (1955: 122) propone sólo dos, «novela» y «poesía» como únicos géneros fundamentales, ya que el drama es mero «género formal» igualmente apropiado para la «sustancia poética o novelística». En el fondo, se trataría sólo de las diversas posibilidades de la *ficción* cuya secuencia establece así Norman Friedman (1955: 1160-1184):

1. Omnisciencia redaccional.
2. Omnisciencia neutral.
3. Testigo narrador.
4. Protagonista narrador.
5. Omnisciencia selectiva.
6. Omnisciencia selectiva múltiple.
7. Modo dramático.
8. La Cámara.

Esta investigación que ha conocido en los últimos años un importante cultivo a partir de consideraciones sobre la novela (Booth, 1963) o en la línea de los estudios teóricos sobre el relato, no puede ser estudiada en este capítulo, pero sin duda— supone una orientación (la de especificación de discursos) que, como hemos dicho a propósito de Lubbok, no es sólo útil para determinar los géneros de las «combinatorias narrativas» sino que puede sugerir un fecundo medio formal de estudiar los géneros.

Cuatro son los géneros admitidos por N. Frye en la última parte de su conocida *Anatomy of Criticism* (1957). A los géneros «clásicos» añade la ficción o género de la «página impresa», realidad que no pudieron prever los griegos. Se propone, en consecuencia, cuatro géneros: el *epos* (no «Epopeya» para no confundirlo con un género histórico concreto), que «acoge en sí a toda la literatura, en verso o en prosa, que intenta de algún modo conservar la convención de la recitación y de un público oyente» (Frye, 1955: 326), el *drama* en que «los personajes hipotéticos o internos de la historia se enfrentan directamente con el público» (*Ibíd.*, 327), la *lírica,* en que queda oculto el público con respecto al autor, y la *ficción,* donde tanto el autor como los personajes se ocultan, como tales, al lector. La interrelación de estos apartados con las grandes categorías expuestas en la tercera parte de su libro, desembocarían en los «géneros históricos» aquí entrevistos en la perspectiva de la formalización de cara al lector («público»).

Siguiendo a Frye, Scholes y Klaus (Hernadi, 1972: 114-118) clasifican las obras literarias en cuatro apartados sustituyendo la vaporosa caracterización del *epos* y la *ficción* por nombres de más tradición: el relato y el ensayo. Así, ensayos, relatos, obras de teatro y poemas constituyen la clasificación básica dentro de la cual cada división puede subdividirse en otras cuatro «como énfasis o estrategias». El respeto al número inicial y la posibilidad de cada forma de aproximarse a las otras tres vuelven a estar presentes como lo estaban en la formulación de Kayser y otros representantes de la fórmula tripartita.

R. Jakobson plantea la posibilidad de que todo género *poético* esté bajo la influencia dominante de la función poética, aquella que subraya el elemento *mensaje* de entre todos los que intervienen en el proceso de comunicación, mediante elevar la equivalencia a rasgo constitutivo de la secuencia. Pero, junto a esta innovación, se adhiere como uno más, a la relación de los partidarios de la clasificación tripartita, poniendo en relación cada uno de los géneros fundamentales con cada una de las funciones fundamentales ya descritas por Bühler y ampliadas por él mismo. Lo dice explícitamente en su repetidamente citado trabajo sobre «La lingüística y la poética»: la épica, que se concreta en la tercera persona, involucra de manera firme el aspecto referencial del lenguaje; la lírica, orientada hacia la primera persona, está íntimamente ligada a la función emotiva. Sin embargo, la poesía de la segunda persona está imbuida de la función conativa y es, o apelativa o exhortativa, según que la primera persona esté subordinada a la segunda, o a la inversa» (Jakobson, 1958: 137).

P. Hernadi (1972: 130), quien propone una clasificación «policéntrica», o sea, que tenga en cuenta e integre los diversos factores que han servido como principios de clasificación, presenta el siguiente esquema:

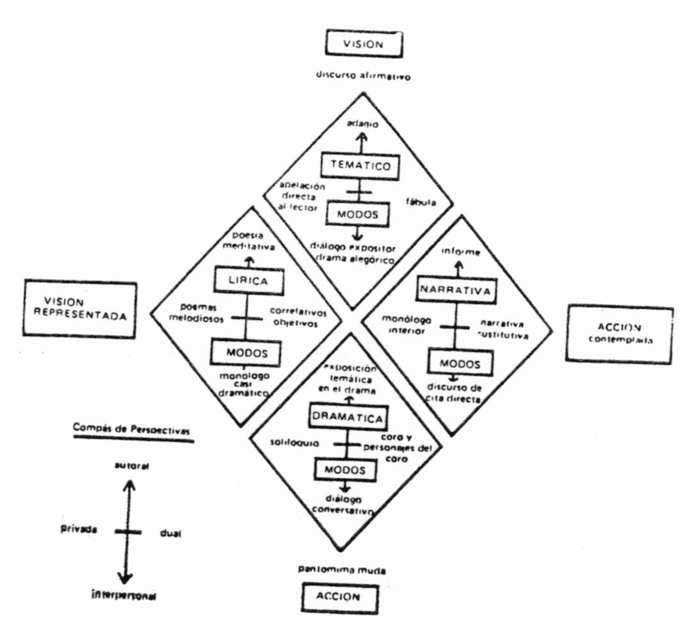

Partiendo de la clasificación formal puesta en boca de Sócrates por Platón en *La República*, Hernadi opone —como extremos de posibles discursos— *diégesis* («visión») y *mímesis* («acción»). Es claro que cada una de las dos posibilidades discursivas configuran «géneros» no literarios: «discurso afirmativo» y «pantomima muda» respectivamente. El primero no es literario en cuanto que no es «obra de creación»; el segundo en cuanto que no tiene «letras» (recuérdese que literario viene de *litterae*). Observa, además, Hernadi que hay producciones que difícilmente responden a uno de los dos registros y, en busca de una solución, sigue distinguiendo entre «visión representada» y «acción contemplada». De ahí, cuatro tipos de posibles géneros fundamentales (temático, dramático, narrativo y lírico) y dieciséis subgéneros (cuatro por cada género) que revelan diversos grados de interrelación.

Si no fuera porque el autor afirma no haber intentado agotar con ellos todas las posibilidades del discurso literario, tendríamos que concluir que dicha clasificación es una más en sus resultados. De nuevo la simetría (cuatro por cuatro) sin suficiente explicación, y la falta de exhaustividad (no todos, ni *sólo* los géneros literarios). Al final de este largo itinerario del siglo XX la clasificación de los géneros sigue planteando los problemas de siempre.

SOCIEDAD

Son muchos los autores que han buscado la clave de los géneros en la sociología. Unos porque es evidente que la literatura es una realidad que se da en una sociedad, que influye sobre ella y que, aunque sea a través de la mediación del escritor, inevitablemente es influida por ella. Otros —los autores marxistas— porque consideran que la explicación de todo hecho (histórico y cultural) es en *último término,* de raíz social.

Hay ya toda una serie de nombres que han ido señalando evidentes relaciones entre el ser social del hombre y la caracterización de los géneros. H. E. Mantz (1917: 469-479) recuerda que la aceptación por parte del artista de la convención genérica es importante en el origen de los géneros; el formalista Tinianov (1924: 89-101) indica que es fundamental la «sustitución de los estilos» en la serie social que es la literatura; Paul Van Tieghen (1938) observa la confluencia que se da en los géneros entre «preferencias del público» y «aptitudes de escritores», lo que en Pierre Kohler (1938-39) se eleva a una suerte de «contrato» entre productores y consumidores del arte. En definitiva, como dice Norman H. Pearson (1940: 61-72) los géneros son «imperativos institucionales que fuerzan y son a su vez forzados por el escritor» o, dicho de manera redonda, como hemos recordado que lo hace A. Warren, una «institución social» (Wellek y Warren, 1949: 271).

J. P. Sartre (1942), sin proponerse hacer una clasificación genérica, ofrece una triple caracterización: la del *poeta* (se refiere al autor de «poesía» en el sentido restringido del término) que, en el fondo, puede no «comprometerse», frente al *novelista* que necesariamente toma partido y de una forma peculiar, «obligando» al lector a compartir su punto de vista, extremo que lo separa del *ensayista* en cuyo discurso no está implicado con carácter necesario la condición de apelativo.

Algo parecido podría decirse de Adorno (1958) cuyas sugerencias sobre la lírica, el ensayo y el teatro son aprovechables sin que constituyan un cuerpo teórico coherente sobre el problema de los géneros literarios ni sobre la aparición histórica de sus formas.

G. Lukács, por su parte, ha prestado reiteradamente atención al problema de los géneros, interpretados —como todo en su teoría, incluso en la etapa premarxista— con clave sociológica.

Lo más interesante para nosotros, en este contexto, es la caracterización que ofrece de los géneros fundamentales: épica, lírica, drama. Según él, «tanto la tragedia como la épica —epopeya y novela— representan el mundo objetivo *externo* a diferencia de la lírica. Más aún: la gran épica y el drama dan un *cuadro total* de la realidad objetiva. Esto lo diferencia de los demás géneros épicos» (Lukács, 1961: 171).

La «gran Epica se caracterizaría, de acuerdo con Hegel, porque exige «la *totalidad de los objetos*, que es configurada a causa de la conexión de la acción espacial con su base sustancial» (*Ibíd.*: 173).

Por su parte, el drama se caracteriza por la «distanciación que se ha de comprender como un *hecho de vida*, como un reflejo artístico de aquello que es la vida misma objetivada en *determinado momento* de su movimiento y que, en consecuencia, *aparece necesariamente*» (*Ibíd.*: 178).

En definitiva, la teoría de los géneros de raíz sociológica (incluso marxista) presenta básicamente los mismos resultados que los demás.

Después de este repaso, parece conveniente reflexionar sobre los criterios básicos que se han venido empleando.

Literario - No literario

La cuestión del «género literario» que nos ocupa reclama antes una primera precisión, la de discriminar entre géneros «literarios» y géneros «no literarios». Una poesía y una aleluya mnemotécnica para aprender la tabla de multiplicar pueden ser formalmente parecidas, aunque nadie dude de que son genéricamente distintas.

La verdad es, sin embargo, que no tenemos ninguna respuesta precisa. Los tratadistas de la literatura pueden caracterizar el discurso literario como «desviado», «extrañado», «codificado bajo el imperio de la función poética», «opaco» en general, «literal», etcétera. Ninguna de estas caracterizaciones —de diferente capacidad cada una— logran la exhaustividad ni mucho menos la distintividad. Pueden existir textos poco desviados, extrañados, opacos o literales que sean puestos en circulación bajo el signo de literatura y, sobre todo, existen textos *especiales* como los mentados que *no* son literarios.

El análisis de la lengua literaria nos puede brindar las *condiciones* intrínsecas existentes en un texto para llegar a ser considerado como literario, pero tales condiciones no son necesarias (en un sentido absoluto) ni, sobre todo, suficientes. No se puede hablar en rigor de unos textos literarios que se dividen en géneros. Por el contrario, entregar una obra como perteneciente a un «género literario» puede ser, como hemos dicho, justamente el disparador social que otorgue a ese texto la *literariedad* pretendida. La comunicación literaria se resuelve en los condicionamientos de una pragmática, la marca de «literario», otorgada a un texto en un circuto comercial, «obliga» a los lectores a afinar sus registros de lectura y a esforzarse por encontrar rasgos, digamos, estéticos incluso en mensajes en los que, a primera vista, nadie podría pensar que los hubiera.

Pero dejemos esto aquí, puesto que, aunque concierne directamente al asunto que nos ocupa, su tratamiento es de otro lugar.

VERSO-PROSA

Puestos a dividir el conjunto de obras literarias en diferentes apartados, es evidente que la diferenciación formal entre el discurso prosario y el discurso sometido a las convenciones de un código rítmico es de las que aparece con mayor nitidez.

Nadie piensa hoy que la codificación en verso sea necesaria para la *literariedad* de un texto. Es discutible la interpretación de la primera página de la *Poética* aristotélica a este respecto. Pero incluso aceptando la improbable opinión de que poesía se vincule a verso (en la *Poética* se dice que verso no se vincula necesariamente a poesía) hay que considerar que, ateniéndose Aristóteles a la praxis de un momento dado, podría considerar que no había en su tiempo obra literaria en prosa sin por ello negar que pudiera llegar a haberla.

En todo caso, el verso es un evidente síntoma textual de la *literariedad*. En la historia de las lenguas occidentales quizás se pueden considerar como excepciones los textos metrificados que no lo han sido con una intención literaturizadora, o sea de avisar al lector de que se está ante un texto que pertenece a algún género *literario*.

Es indudable, además, que el sometimiento al código rítmico produce alteraciones no sólo de la forma de la expresión sino también de la forma del contenido. Pero, ¿hasta qué punto?

Comparemos un fragmento en prosa y el mismo en verso del relato de A. Machado, *La Tierra de Alvargonzález*, versiones que, según Oreste Macrí, se escribieron en este orden que guardamos de primero la prosa y luego el verso.

(I)

Mucha sangre de Caín tiene la gente labradora. La envidia armó pelea en el hogar de Alvargonzález. Casáronse los mayores, y el buen padre tuvo nueras que antes de darle nietos, le trajeron cizaña. Malas hembras y tan codiciosas para su casa, que sólo pensaban en la herencia que les cabría a la muerte de Alvargonzález, y por ansia de los que esperaban no gozaron lo que tenían.

El menor, a quien los padres pusieron en el seminario, prefería las lindas mozas a rezos y latines, y colgó un día la sotana, dispuesto a no vestirse más por la cabeza. Declaró que estaba resuelto a embarcarse para las Américas. Soñaba con correr tierras y pasar los mares, y ver el mundo entero.

Mucho lloró la madre. Alvargonzález vendió el encinar y dio a su hijo cuanto había de heredar.

—Toma lo tuyo, hijo mío, y que Dios te acompañe. Sigue tu idea y sabe que mientras tu padre viva, pan y techo tienes en esta casa; pero a mi muerte, todo será de tus hermanos.

(II)

Mucha sangre de Caín
tiene la gente labriega,
y en el hogar campesino
armó la envidia pelea.

Casáronse los mayores;
tuvo Alvargonzález nueras,
que le trajeron cizaña,
antes que nietos le dieran.
La codicia de los campos
ve tras la muerte la herencia;
no goza de lo que tiene
por ansia de lo que espera.
El menor, que a los latines
prefería las doncellas
hermosas y no gustaba
de vestir por la cabeza,
colgó la sotana un día
y partió a lejanas tierras.
La madre lloró, y el padre
dióle bendición y herencia.

(A. Machado, 1912: 192, 180-181)

Como se advierte a primera vista, el contenido de los dos fragmentos es rigurosamente homólogo: es más, el segundo es traducción metrificada del primero.

Las variaciones que introduce por necesidades rítmicas no son de capital importancia, aunque nos recuerdan el papel selectivo que el ritmo tiene en la cristalización formal de una sustancia semántica: El vocablo «labriega», frente a «labradora» de la prosa está determinado por la necesidad de la rima asonante con «pelea». El camino es claro: «labradora», «pelea» obligan a sustituir el primer término por uno de terminación e-a (como se ha hecho) o el segundo por otro de terminación o-a.

La traslación no implica, sin embargo, un cambio semántico unidireccional. Así, si «en el hogar de Alvargonzález» del primer texto, es generalizado hasta «en el hogar campesino» (con ocho sílabas de medida); la frase generalizante «el buen padre tuvo nueras» de la prosa se concreta en el verso «tuvo Alvargonzález nueras», impuesto no tanto por razones rítmicas (que las hay) cuanto por la necesidad de inteligibilidad que obliga a hacer patente un sujeto aún no presentado. Lo mismo de irrelevante aparece la siguiente *variatio* en el orden de las palabras: «que antes de darle nietos, le trajeron cizaña» / «que le trajeron cizaña, antes que nietos le dieran».

Aunque llame la atención la diferencia de tratamiento en el resto de cada uno de los fragmentos (la versión poética conoce supresiones, condensaciones, y sobre todo generalizaciones importantes; no se centra tanto en el dato «histórico» como en la visión de conjunto propia de la literatura, lo que lleva a una labor de depuración), no hubiera sido imposible, sin embargo, que todo hubiera seguido con el mismo tenor de práctica traslación palabra por palabra como al principio, lo que muestra a las claras que la diferenciación que venimos comentando (verso/prosa) no es suficiente para justificar por sí misma una clasificación genérica [2].

Texto épico - Texto dramático

La distinción genérica fundamental ya en la *Poética* de Aristóteles fue la de relato *para contar/relato para representar.* En el primero, se podía introducir un elemento que caracterizaba por entero al segundo: el diálogo. En la historia de la práctica teatral se han insertado a veces secuencias del mundo narrado (con voz en *off,* por ejemplo) en la representación, pero siempre sin la importancia que el diálogo puede alcanzar en una novela.

Podemos llegar a preguntarnos si se podrían encontrar marcas distintivas del diálogo en la narración, frente al diálogo para la representación (vid. Bourget, 1977). Acudamos a un caso límite. Galdós escribe «novelas dialogadas» (aquellas que «contraen a proporciones mínimas las formas descriptiva y narrativa») que luego arregla para el teatro. ¿Hay diferencia entre uno y otro diálogo? Veamos algún pasaje de la última escena de *El Abuelo* (Pérez Galdós, 1897: 903; 1904: 675).

[2] Sin embargo, no deja de ser sintomática también esta actitud del poeta (justificable también, claro, por el hecho de tratarse de una versión posterior). Nos parece que, en alguna medida, este ejemplo abona la opinión de que la diferenciación formal que supone la matriz convencional rítmica empuja a una más intensa «literaturización» al artista y avisa de esa intención al receptor. Siendo esto así, no tiene nada de extraño que, esporádicamente, formas métricas se vinculen unívocamente a acotaciones de contenido formando géneros históricos. Por esto, el soneto, que es una estrofa, ha podido ser considerado también, en algunos momentos, como un género. Debo el ejemplo y algunas sugerencias de este apartado a la conferencia de don Fernando Lázaro Carreter sobre «La prosa y el verso».

NOVELA

EL CONDE.—*(Con grandísima agitación.)* ¡Oh Dolly, Dolly!...

DOLLY.—¿Qué tienes?

EL CONDE.—Parece que me ahogo... Es que Dios me abre el pecho de un puñetazo y se mete dentro de mí... Es tan grande, tan grande..., ¡ay!, que no cabe...

DOLLY.—Si Dios entra en tu corazón, allí encontrará a Dolly con su patita coja... Abuelo, abuelo mío, cuando todos te abandonan, yo voy contigo. *(Le abraza y le besa.)*

EL CONDE.—*(Alelado.)* Cuando todos me desprecian, tú eres conmigo... El mundo entero pisotea el tronco de Albrit, y Dolly hace en él su nido.

DOLLY.—Sí que lo haré... De veras digo que si no me llevas en tu compañía adondequiera que vayas...

EL CONDE.—*(Vivamente.)* Si no te llevo, ¿qué?

DOLLY.—Me moriré de pena.

EL CONDE.—*(Elevando hacia el cielo las palmas de sus manos.)* Señor, ¿qué es esto? ¿Tal monstruosidad es obra tuya? ¿Qué nombre debo dar a esta cosa espantable y enorme que llena mi alma de gozo?... Del seno del cataclismo salen para mí tus bendiciones... Ya veo que de nada valen los pensamientos, los cálculos y resoluciones del ser humano. Todo ello es herrumbre que se desmorona y cae. Lo de dentro es lo que permanece... El ánima no se oxida.

DON PÍO.—*(Con hermosa ingenuidad.)* Señor, ¿hacia qué parte de los cielos o de los abismos cae el honor? ¿En dónde está la verdad?

EL CONDE.—*(Abrazando a Dolly.)* Aquí... *(Como quien vuelve de un desvanecimiento.)* Díme, amigo Coronado: ¿he dicho muchos disparates? Porque siento que vuelve a mí la razón. Esta chiquilla, trastornándome, me ha vuelto a mi ser, y yo, trepidando, recobro mi equilibrio. Ya ves... Todos me despre-

DRAMA

EL CONDE. — *(Agistadísimo.)* ¡Oh Dolly, Dolly!...

DOLLY.—¿Qué tienes?

EL CONDE.—Parece que me ahogo. Creeré que Dios desgarra con sus manos mi pecho y se mete dentro de mí... Es tan grande, tan grande..., ¡ay!, que no cabe...

DOLLY.—Si Dios entra en tu corazón, allí encontrará a Dolly con su patita coja... Abuelo, abuelo mío, cuando todos te abandonan, yo soy contigo. *(Le abraza y le besa.)*

EL CONDE.—*(Alelado.)* Cuando todos me desprecian, tú eres conmigo. El mundo entero pisotea el tronco de Albrit, y Dolly hace en él su nido.

DOLLY.—Sí que lo haré... Llévame contigo adondequiera que vayas, o me moriré de pena.

EL CONDE. — *(Elevando hacia el cielo sus manos.)* Señor, del seno del cataclismo salen para mí tus bendicones... Ya veo que de nada valen los pensamientos, los cálculos y resoluciones del ser humano. Todo ello es herrumbre que se desmorona y cae... Lo de dentro es lo que permanece... El alma no se oxida.

DON PÍO.—*(Con hermosa ingenuidad.)* Señor, ¿hacia qué parte de los cielos o de los abismos cae el honor? ¿En dónde está la verdad?

EL CONDE.—*(Abrazando a Dolly.)* Aquí... Huyamos. Dios nos protegerá. A Dolly no le importa la pobreza.

DOLLY.—Yo te haré rico y dichoso con mi cariño.

EL CONDE.—Ven a mis brazos... *(En actitud de tomarla en brazos para llevarla a cuestas.)* Dios te ha traído a mí... *(Con grande efusión.)* Niña mía..., amor..., la verdad eterna. *(Se dirigen hacia la derecha.)*

cian; ella sola me ama y consagra a este pobre viejo su florida juventud.

DOLLY.—*(Besándole.)* Albrit, ¿quién te quiere?

EL CONDE.—Tú sola.

DOLLY.—No te llamaré Albrit, sino «Abuelo».

EL CONDE.—Sí, sí; me gusta ese nombre... ¡Es tan dulce! Puedes darle el sentido que quieras.

DON PÍO.—*(Con unción.)* Dios es el abuelo de todas las criaturas.

EL CONDE.—Por eso es tan grande. La eternidad, ¿qué es más que el continuo barajar de las generaciones? Y ahora, Pío, gran filósofo, si te dan a escoger entre el honor y el amor, ¿qué harás?

DON PÍO.—*(Sollozando.)* Escojo el amor..., el amor mío, porque el ajeno lo desconozco. Nadie me ha querido. Lo juro por la laguna Estigia.

EL CONDE.—¡Eres tan infeliz como yo dichoso, pobre Pío!... *(Con resolución, incorporándose.)* Vámonos.

DON PÍO.—¿Adónde?

EL CONDE.—A pedir hospitalidad a cualquiera de mis antiguos colonos. Son pobres; pero a Dolly no le importa la pobreza.

DOLLY.—Con mi cariño te haré yo rico.

EL CONDE.—*(Con ardiente júbilo.)* Coronado, ¿has oído esto?

DON PÍO.—Oigo a Dolly... Angeles he visto yo en sueños, pero siempre mudos. Ahora hablan.

EL CONDE.—Vámonos... Pío, te nombro mi amigo, te hago la síntesis de la mistad. Ven, síguenos.

DON PÍO.—*(Señalando el cantil.)* Pero...

EL CONDE.—Estás lucido. ¡Matarme yo, que tengo a Dolly! ¡Matarte a ti..., que me tienes a mí! Ven y esperaremos a morirnos de viejos.

DON PÍO.—Escondámonos en cualquier aldea.

EL CONDE.—Dios nos protege. *(A Dolly.)* ¿Está cojito mi ángel? Ven a mis brazos. Pesas poco, y yo aún tengo vigor para cargarte. *(La toma en brazos.)* Vámonos primero hacia Rocamor. Allí espero encontrar almas compasivas. *(Huyen hacia Occidente. Don Pío, conocedor de los senderos y atajos, va delante guiando. A ratitos, Dolly, por no cansar al abuelo, se desprende de los brazos de él y anda. Desaparecen en las lomas que separan el término de Jesusa del de Rocamor. En la aldea de este nombre, y en una pobre casa de labor, les da generosa y cordial hospitalidad un matrimonio dedicado a la cría de carneros y vacas; gente sencilla: un par de viejos honradísimos y joviales que allí habían nacido y allí moraban desde tiempo inmemorial, restos* (...).

Cotejando los dos textos, encontramos también, junto a una identidad casi absoluta de algunos fragmentos, supresiones y depuraciones que aligeran el texto dramático con relación al de la novela.

Prescindiendo del relato final, dichas supresiones se pueden explicar por tratarse de una versión posterior y por la limitación de extensión que implica la representación teatral. No cabe duda, sin embargo, de que la materia dialógica está tratada de manera absolutamente uniforme en ambos casos. Así, o no se puede hablar con rigor de diferencias entre diálogo novelesco y diálogo dramático, o hay que afirmar que estas novelas dialogadas no son tales novelas. En este segundo supuesto, el diálogo novelesco se diferenciaría del dramático en los ragos (por investigar) derivados de las presuposiciones contextuales basadas en la parte narrativa que, por definición, deberían acompañar (con extensión y relieve) a tales diálogos.

Esto ilustra también de soslayo el hecho de que una misma temática pueda configurarse en diferentes géneros a través de mediaciones puramente de expresión. Por ejemplo, el concepto de lo «trágico» ha sido extraído de un género histórico dramático, la «tragedia», pero puede haber novelas «trágicas», que serán las que presenten un contenido de calificación temática semejante a la que caracterizó a tales obras teatrales.

LÍRICA, EPICA, DRAMÁTICA

Del repaso de los autores contemporáneos, resulta que existe una abrumadora mayoría que, de una forma u otra, recoge la tripartición «lírica», «épica», «dramática» como división básica o enumeración de «géneros fundamentales» o «tipos» *(Naturarten* en expresión de Goethe) (cfr. Hernadi, 1972; Strelka, 1978).

G. Genette (1979: 42-43) ha estudiado el equívoco que late en la atribución a Aristóteles de esta división y el carácter fundamentalmente postromántico de la difusión de tal teoría.

Si nos fijamos con atención, encontramos dos dificultades que perturban constantemente a los seguidores de la tripartición. De un lado, el carácter de insuficiencia numérica que advierten para encerrar en ella todos los géneros literarios históricos; de otro, la determinante principalmente temática que implica que hace que «lo lírico» se encuentre —incluso predominando— en obras épicas o dramáticas, «lo épico» en obras dramáticas o líricas y «lo dramático» en obras líricas o épicas.

Frente al primer problema, se ha intentado repetidamente proponer un género más como cajón de sastre que, así, se convierte en el género de lo que *no es* lírica, épica o dramática. Ya se ve que tal estratagema no está justificada a no ser que lírica, épica y dramática sean divisiones tan objetivamente fundamentadas que deban ser conservadas mientras se clasifica el resto. Pero no parece así. Genette (1979: 51) ofrece el siguiente cuadro que explicita lo opinable que resulta sustentar la tripartición, por ejemplo, en la relación entre tiempo y «género», con tal sólo sistematizar las diferentes opiniones ofrecidas en el manual de Wellek y Warren (1949: 271-285).

Géneros / *Autores*	*Lírica*	*Epica*	*Dramática*
Humboldt		pasado	presente
Schelling	presente	pasado	
Jean Paul	presente	pasado	futuro
Hegel	presente	pasado	
Dallas	futuro	pasado	presente
Vischer	presente	pasado	futuro
Erskine	presente	futuro	pasado
Jakobson	presente	pasado	
Staiger	pasado	presente	futuro

Además, ¿cuál sería el cuarto género? El ensayo es de una extensión tal que engloba tanto productos literarios como otros que no lo son (y no digamos la historia); los procedimientos de la oratoria son empleados por textos iterarios y no literarios con intención diferente y, así, los productos (no literarios) de la publicidad comercial emplean el mismo repertorio de figuras que la Literatura. Parecida reflexión cabe hacerse sobre el «carácter apelativo» del texto literario (Ruttkowski, 1968: 47-104): la presentación del mensaje como realidad que concierne al receptor es propio de la Literatura, pero ¿no lo es —y más— del discurso político?

La dificultad señalada ,a causa del carácter temático de la clasificación, ha intentado ser salvada por Staiger y otros, mediante el recurso a un estudio antropológico, psicológico, etc. Pero en ese caso, resulta que las «actitudes» humanas de «lo lírico», «lo épico» y «lo dramático» carecen de carácter específicamente literario. Se pueden manifestar en la música, en la danza, en textos no literarios y de muchas maneras. Queda sin demostrar, por otra parte, la objetividad de esas «actitudes» que se han «descubierto» precisamente para explicar la tripartición cuyo fundamento, como venimos viendo, dista de estar claro.

SENTIDOS DEL TÉRMINO «GÉNERO»

La palabra «género» ha sido referida a lo largo de esta exposición en cuatro sentidos diferentes que conviene deslindar:

a) Evidentes afinidades que cabe conocer entre obras literarias de un mismo período y, a veces, incluso de varios períodos de la historia han conducido a la práctica de su clasificación formando grupos que cumplen la triple función en relación con el autor, el receptor y la sociedad que decíamos al principio. Estas agrupaciones constituyen los llamados *géneros históricos* (Epopeya, novela, tragedia, auto, etc.).

b) Abstrayendo las propiedades más universales de estos géneros históricos o fundamentándose en principios generales (capacidades psicológicas o comunicativas del ser humano, registros del lenguaje, etc.), los tratadistas han intentado aislar unos pocos principios que habrían de servir para la clasificación de las obras literarias habidas (concretadas en *géneros históricos*) o por haber: lírica, épica, dramática, etc. Se trata de los *géneros fundamentales* o *tipos*.

c) La extrema generalidad de los *tipos* ha propiciado nuevas clasificaciones intermedias, que procediendo de ellos, como subdivisiones, se acerquen más a los géneros históricos. Estas clasificaciones han sido llamadas aquí *subgéneros* (enunciación lírica, apóstrofe lírico y lenguaje de canción; drama de personaje, espacio o acción, etc.).

d) También encontramos *subgéneros históricos*, subdivisiones de géneros históricos realizadas para reducir el campo de observación o estudio (novela psicológica, novela realista, etc.).

En consecuencia, hay que advertir que no podemos confiar en la nomenclatura de los géneros como si fuera única y universal[3]. En cada autor habremos de atisbar, por su uso contextual, qué comprensión le da a cada término genérico que maneja y cuál el grado de abstracción (a veces se observan indeseables mezclas) con el que opera.

¿Qué es el género (histórico)?

G. Genette en su muy inteligente estudio sobre estos problemas (1979: 84-85), aduce el «modelo aristotélico» de la definición que da Philippe Lejeune del género *autobiografía* para sacar conclusiones generales.

La definición es la siguiente: «Relato retrospectivo en prosa que una persona real hace de su propia existencia, cuando pone el acento sobre su vida individual, en particular sobre la historia de su personalidad» (Lejeune, 1973: 138).

Según esto, el género histórico (en este caso, la «autobiografía») es una *división clasificatoria de las obras literarias obtenida por la combinación de rasgos temáticos* (en el ejemplo, «devenir de una individualidad real»), *discursivos* (en el ejemplo, «narración autodiegética retrospectiva») *y formales* (en el ejemplo «en prosa»).

Puede sorprender la ahistoricidad observable en la definición de un «género histórico». Creemos, sin embargo que, por definición, la teoría no es una empresa histórica. Otra cosa es que la situación histórica condicione la posibilidad de aparición (o de desaparición) de tal o cual género. La «autobiografía» tomada como ejemplo no pudo aparecer sino con la mentalidad propia de la Edad Moderna, pero la delimitación teórica de esa aparición sin duda ha de intentarse mediante el aislamiento de los mentados rasgos (temáticos, discursivos, formales).

Esto plantea un no pequeño problema a la moderna teoría literaria o Poética. Si los rasgos formales (el más aparente es el de la oposición prosa/verso ya comentado) y los discursivos podrían ser aislados en un número relativamente pequeño de inva-

---

[3] Hay que advertir que la división que hago no se contrapone a la diferenciación entre «géneros históricos» / «géneros teóricos» que propone T. Todorov (1970: 25). Entendemos por «género histórico» aproximadamente lo mismo que Todorov, pero no englobamos lo demás bajo el marbete de «teórico». Los *tipos* y, sobre todo, los *subgéneros* pueden ser en unos autores muy «teóricos» y en otros no suponer sino una agrupación (en virtud de determinadas iteraciones de rasgos) de géneros históricos.

riantes[4], el componente temático hace prácticamente impredecible la cantidad de géneros que puedan resultar de la triple combinatoria (cfr. V. Weisstein, 1975: 261). De todos modos, se puede esperar que de las investigaciones en curso sobre taxonomías de base semántica se lleguen a derivar haces de rasgos con suficiente capacidad explicativa combinables con caracterizaciones formales y discursivas para llegar a una enumeración rigurosa de los géneros posibles en un nivel de abstracción dado, sabiendo, con todo, que cada uno de ellos se podría seguir subdiviendo según precisiones temáticas más concretas (cfr. García Berrio, 1977: 369-430).

Registros del habla y géneros

Parece, por lo dicho, que sería mejor empeñarse en el estudio de los géneros históricos que afanarse en encontrar unos pocos modelos arquetípicos que los engloben a todos.

Sin embargo, como es propio de la ciencia buscar la generalidad y la ciencia poética no podrá buscarla en datos ajenos a la «literalidad» (la realidad de estar hecho con palabras) del texto literario, cabe atribuirle como objetivo adecuado la indagación de los rasgos discursivos y formales que, junto con los temáticos (tratados de momento por otras ciencias) entran en la configuración de los géneros históricos. Si hemos previsto que estos rasgos puedan ser aislados en un número relativamente pequeño de invariantes, cada género histórico —desde el punto de vista de su clasificación poética— vendrá caracterizado por el uso o predominio de alguna de tales invariantes o de sus relaciones combinatorias. Desde los géneros históricos nos remontamos, así, no a *tipos* genéricos, sino a *registros del habla* o *propiedades del material lingüístico preliterario que el autor utiliza, dentro de las posibilidades de la lengua, en la configuración de su obra.* Esto no excluye que sea propio de la Poética también, en el estudio de cada género, no sólo la especificación del discurso lingüístico fundamental en que está codificado un discurso dado, sino la de otros discursos semióticos a los que puede responder la codificación de un mensaje. En el estudio de un relato, por ejemplo, la Poética atenderá tanto al discurso lingüístico narrativo, estudiado

[4] Esto, sin embargo, no es tan simple como aparece a primera vista. Si la codificación métrica es un rasgo «formal», imagínese la cantidad de variantes estróficas y de combinación de estrofas que son teóricamente posibles.

por la semiología de las lenguas naturales o Lingüística; como a la articulación de las acciones representadas, estudiada por la semiología de los relatos o Narratología.

Inspirándome en T. Todorov (1973: 45-56), he propuesto una mera aproximación a los registros del habla, cuyo inventario habrá de perfilarse en el futuro.

Se trata de sacar consecuencia, de las características básicas de todo discurso que es algo en sí mismo *(literalidad)* y transmisor de una realidad extraverbal *(referencia)*; supone una secuencia verbal cristalizada *(enunciado)* pero responde a un proceso comunicativo (emisor-mensaje-receptor) por el que está condicionado *(enunciación)*.

En consonancia con esto, cabe deslindar cuatro tipos de discurso, susceptibles de subdivisiones, según los registros del habla:

a) *Referencial:* Aquel discurso cuya descodificación centra su atención en los datos que se ofrecen (objetos, hechos, acciones) externos al discurso mismo.

b) *Abstracto:* Aquel discurso cuya descodificación centra su atención en el discurso mismo en cuanto portador de una verdad.

c) *Literal:* Aquel discurso cuya descodificación centra su atención en el discurso mismo en cuanto tal texto.

d) *De enunciación:* Aquel discurso cuya descodificación advierte en el enunciado huellas que hacen presente el proceso de enunciación a que pertenece.

Acudamos a un texto en pos de su verificación.

> Estaba Ana sola en el comedor. Sobre la mesa quedaban la cafetera de estaño, la taza y la copa en que había tomado café y anís don Víctor, que ya estaba en el Casino jugando al ajedrez. Sobre el platillo de la taza yacía medio puro apagado, cuya ceniza formaba repugnante amasijo impregnado de café frío derramado. Todo esto lo miraba la Regenta con pena, como si fuesen ruinas de un mundo. La insignificancia de aquellos objetos que contemplaba le partía el alma; se le figuraba que eran símbolos del universo, que era así, ceniza, frialdad, un cigarro abandonado a la mitad por el hastío del fumador. Además, pensaba en el marido incapaz de fumar un puro entero y de querer por entero a una mujer. Ella era también como aquel cigarro, una cosa que no había servido para uno y que ya no podía servir para otro (Clarín, 1885: II, 6).

En el ejemplo de *La Regenta* que tenemos delante encontramos registros del tipo *a*. Claramente pertenecen a dicho registro las frases del párrafo transcrito que van desde el comienzo hasta «ajedrez». Todo el cuerpo, sin embargo, está configurado por frases pertenecientes al tipo *c*, literal, en el que se obliga al lector a fijar la atención en los términos mismos mediante reiteraciones fónicas (apag*ado*, impregn*ado*, derram*ado*), repeticiones de términos del campo significativo del desagrado (repugnante, amasijo, ruinas, insignificancia...), etc. La última frase pertenece al tipo *d*. En efecto, el estilo libre indirecto funde el sujeto narrador y el personaje en una tan inextricable unión que nos da la sensación de que somos receptores en un proceso de enunciación y no meros lectores del enunciado.

Como se ve en este ejemplo buscado a propio intento, la solución que propongo no resuelve tampoco totalmente el problema. Si el texto de la novela aducida presenta rasgos combinados de los cuatro tipos de discursos ensayados, ¿cuál será el rasgo discursivo de esta obra, común con otra serie de ellas y distinto de las demás, que pueda entrar a formar parte de su especificidad genérica? La determinación de un mensaje por el discurso fundamental en el que está codificado tendrá que ser hecha, en muchas ocasiones, no de una forma absoluta, sino atendiendo a un criterio de mayor o menor dominancia.

Hasta aquí nuestra exposición. El futuro de la Poética como Teoría de los géneros literarios, siguiendo por los caminos marcados, remodelará los límites de los géneros históricos hasta ahora observados y —nos tememos— dejará en mera aproximación, basada en imprecisos rasgos comunes de algunas líneas genéricas más cultivadas, la sacralizada tripartición tradicional de los «géneros fundamentales».

GYORGY LUKÁCS: LITERATURA Y SOCIEDAD

Nos hemos referido insistentemente a que los problemas de la *literariedad* no pueden ser dilucidados fuera de una pragmática que se resuelve en una sociología. En efecto, las reglas de la interacción comunicativa son tales cuando están aceptadas por una comunidad y encuentran su explicación, más en rasgos del sistema social que en el sistema lingüístico inmanente.

Peter Ludz (G. Lukács, 1961: 20-24), siguiendo a Newald, clasifica en cuatro apartados la producción contemporánea que aparece con el marbete de «Sociología de la literatura».

1. De «Materia y contenido», es decir la relativa al fondo económico y social que pueda estar presente en la materia artística.
2. De «Forma y continente», o sea la que establece relaciones entre la estructura social y estructura de la obra literaria (género, estilo, etc.).
3. De «Análisis de la procedencia social y del rango social del artista». En este apartado cabe el análisis de la Literatura como institución social. La «literatura» es algo que tiene cultivadores, personas que la enseñen, posibilidad de mecenazgo, etc.
4. De «Análisis del efecto sobre el público y del éxito», para lo que los trabajos de R. Escarpit (1970) y su escuela ofrecen muchos datos. Este extremo, por otra parte, había recabado la atención de Schücking (1923) y enlaza ahora con la «estética de la recepción» (Jauss, por ejemplo) y otras corrientes actuales.

El desarrollo de los tres últimos puntos tiene mucho que ver con la determinación extrínseca de la literariedad, pero desgraciadamente en ninguno de ellos se ha llegado a establecer un sistema de reglas tan completo que pueda utilizarse como algo más que declaración de genéricos principios.

Por otra parte, la necesaria inserción de la sociología literaria en una teoría general de la sociedad ha propiciado la producción de una ingente bibliografía marxista sobre la cuestión, de manera que sociología y teoría marxista de la literatura son denominaciones que, con frecuencia, se identifican.

En estas páginas nos proponemos una reflexión sobre la teoría literaria de György Lukács, patriarca de la Estética marxista y maestro confesado de Lucien Goldmann cuyo ascendiente sobre cierto sector de la crítica literaria hispánica es, como hemos dicho, evidente, aunque sólo se ocupó de un modo directo de formulaciones propias de los epígrafes 1 y 2.

Vamos a hilvanar nuestra exposición al hilo de la magnífica antología, ya citada, de textos lukacsianos (Lukács, 1961), hecha por Peter Ludz. Habrá, sin embargo, que tener en cuenta otras obras que salen del marco de esta antología porque (en Lukács y en los marxistas en general) no se pueden separar de manera radical los trabajos filosófico-históricos, los de crítica histórica y los teórico-metodológicos sobre Historia de la literatura (los aquí antologizados) de los de Filosofía de la historia o de los de Filosofía política (pensamos, en el caso de Lukács, en el famoso *Historia y conciencia de clase*). Además, en la antología no se hace mención de la inconclusa *Estética* (1963) cuyos primeros volúmenes aparecieron después de la publicación del compendio de Ludz.

Inspirándonos en el prólogo de Peter Ludz, en coincidencia con otros autores, distinguiremos en la producción de Lukács los siguientes períodos:

1) *1907-1912:* Es la etapa de *Historia evolutiva del drama moderno* (1908-1909), publicado en 1912 en húngaro y *El alma y las formas,* 1911. Está influenciado por el neoplatonismo, la filosofía de la vida (Dilthey, Bergson, Simmel), la fenomenología (Husserl), el neokantismo (Rickert, Lask), las teorías artísticas de K. Fledler y Paul Ernst e incluso ya comienza a sentirse el ascendiente de Thomas Mann.

2) *1914-1926:* Son los años de *Teoría de la novela,* 1920 (escrito entre 1914-15); *Historia y conciencia de clase* (1923); *Lenin* (1924), y *Moses Hess y el problema de la dialéctica idealista* (1926). Predomina la influencia de Hegel. En esta época estudia especialmente a Marx, Lenin, Max Weber y Rosa Luxemburg.

3) *1927-1933:* Primera etapa marxista. Publica colaboraciones en «Die Linkskurve» y realiza la autocrítica de las «Tesis de Blum» (1928) y de sus libros *Teoría de la novela* e *Historia y conciencia de clase* (1923).

4) *1934-1953:* Etapa de las grandes investigaciones estético-literarias y de sus *Beiträge zur Geschichte des Ästhetik*, que, relativamente, se basan de un modo más decisivo en la teoría del conocimiento de Lenin.

5) *A partir de 1956: Desde Wider den missverstandenen Realismus* («Sobre el realismo mal comprendido»), 1958; aun siguiendo dentro del comunismo ortodoxo, se produce un distanciamiento de los trabajos de Stalin.

Peter Ludz deja abierta la posibilidad de una nueva etapa a partir de finales de 1962. Hoy podemos decir que, en todo caso, no supuso cambio fundamental. A su muerte en 1971 dejó publicada la primera parte de una *Estética* inacabada (cerca de dos mil páginas de textos redactados entre 1952 y 1963), que hubiera debido compendiar, en sucesivas partes, los resultados de su evolución filosófica.

Es manifiesta la complejidad que encierra la tarea propuesta, dada la variedad y cantidad de las publicaciones del pensador húngaro y el que ha provocado un sinnúmero de reacciones favorables y hostiles, en el mundo occidental y en el comunista, a lo largo de su asendereada biografía (cfr. Lichtheim, 1970).

Sin duda, como dice Ludz, «no son demasiados los autores contemporáneos que durante tanto tiempo hayan influido en los intelectuales europeos. Tal influencia se expandió y se expande realmente en profundidad y en amplitud. Las obras histórico-filosóficas y estéticas de Lukács se discuten en Alemania, Francia e Italia, en parte incluso en Inglaterra y en los Estados Unidos. Theodor W. Adorno, W. Benjamín, E. Bloch, Bert Brech, Benedetto Croce, Albam Deborin, Georges Gurvitch, Karl Mannheim, Siegfried Marck, Herbert Marcuse, Maurice Merleau-Ponty, Jean-Paul Sartre y Alfred Weber, citados de entre muchos, se han ocupado de la personalidad de Lukács» (pág. 15).

György Lukács es, como hemos dicho, el gran patriarca de la teoría literaria marxista del siglo XX. Tanto la tesis doctoral de Lucien Goldmann (1955) y el desarrollo de su escuela del «estructuralismo genético» (vid. Goldmann, 1964), como las discusiones de Wolfgang Herich acerca del libro de Hayn sobre Herder y el pensamiento de Hans Heinz Holz, «tanto las reflexiones de Kostas Axelos como ciertas nuevas interpretaciones de la obra de Marx, pero de modo especial el fenómeno de la "alienación" y de la "reificación" dentro de la moderna sociedad industrial, no podríamos imaginárnoslo —sigue diciendo Peter Ludz— sin la existencia de Lukács» (pág. 16).

Más que una Sociología de la Literatura propiamente dicha, los trabajos de Lukács responden a una Teoría literaria de base social, como resultado del punto de partida filosófico, constituido, a lo largo de las etapas que hemos reseñado, por «neoplatonismo, filosofía de la vida y fenomenología (neo)-kantismo, historicismo en su forma hegeliano-marxista y finalmente —y de manera decisiva— el método económico-social de Marx, la teoría del conocimiento de Lenin («teoría de los reflejos») y, de un modo general, el Materialismo Dialéctico en la versión de Lenin y de Engels (pág. 25).

En efecto, en la introducción que Lukács escribe a la edición húngara de los escritos que ocasionalmente Marx y Engels dedicaron a la literatura, se defiende con rigor una interpretación «ortodoxa» de estos trabajos que se opone tanto al «marxismo vulgar» (que no contempla la complejidad de apariencias, relaciones y mediaciones de una realidad del tipo de la literaria que sólo en *último término* es económico-social) como a las heterodoxias que ponen en peligro la necesaria conexión de los hechos «aparentemente espirituales» con los postulados marxistas de interpretación, es decir, con el materialismo histórico y el materialismo dialéctico.

Así afirma, siguiendo a Marx y Engels, que «sólo existe una sola ciencia uniforme: la Ciencia de la Historia que concibe el desarrollo de la naturaleza, la sociedad, el pensar, etc., como un proceso histórico uniforme» (pág. 205). Por otra parte, «la esencia estética y el valor estético de las obras literarias, y en relación con ello su efecto, constituyen una parte de aquel proceso social por el cual el hombre se apropia del mundo mediante su conciencia. Visto desde el primer punto de vista, la estética marxista, la historia de la literatura y del arte marxistas forman parte del materialismo histórico, mientras que, desde el segundo punto de vista, constituyen la aplicación del materialismo dialéctico» (páginas 206-7).

En esta etapa se adscribe a la teoría leninista del «reflejo»: «una de las tesis fundamentales del materialismo dialéctico consiste en que todo hacerse consciente al mundo externo no es nada más que el reflejo de la realidad que independiente de la conciencia subsiste en los pensamientos, en las imaginaciones, en las sensaciones, etc., de los hombres» (págs. 216-17).

A partir de aquí, se presenta la estética del marxismo como opuesta a todo naturalismo (porque éste no capta la «esencia» dialéctica e histórica de lo que describe) y a todo formalismo (porque atribuye a las formas artísticas una independencia absoluta). En cambio, «la misión del arte es la representación fiel y verdadera de la totalidad de la realidad» (pág. 218).

La estética marxista debe postular, en consecuencia, el «realismo» («fiel reproducción de unos caracteres típicos bajo circunstancias típicas», según Engels) sin oponerse a la fantasía que, sin embargo, exprese el «reflejo de la realidad». Podría pensarse en una Estética de la novela de reportaje, pero no es eso.

Se admite que la novela de reportaje nace como oposición al psicologismo, que sería expresión de una mentalidad «burguesa»: en este tipo de novela se incluyen autores realistas y naturalistas del XIX (Flaubert, Jacobsen, Dostoyevsky, Huysmans, etc.). Pero —sigue Lukács— «esta contraposición era y es una contraposición mecánica, y no dialéctica. Como subrayamos, la mayoría de los representantes de la novela de reportaje y en especial sus fundadores eran pequeños-burgueses opuestos al capitalismo, pero no eran revolucionarios proletarios» (pág. 122).

Insistamos en que la cuestión que se debate es la siguiente: si en la estética «realista» lukacsiana las buenas obras literarias son resultado de la captación del sentido de la historia, o sea, del quehacer del proletariado como «clase portadora de la verdad esencial», podría pensarse que el reportaje de estos hechos ha de ser el género adecuado para conseguir esas buenas obras según tal estética. Lukács advierte que esto sería un error. Puede haber una novela en la que los hechos relatados concuerden fielmente con los hechos históricos (como en un reportaje), que no sea buena; puede haber otra en la que nada concuerde, que sea literariamente válida.

¿Cómo es posible? Lukács niega, desde luego, que la calidad se derive de la libre capacidad de cada autor (eso sería una expresión de la «estética idealista burguesa»). Lo que ocurre es que se pueden describir hechos reales sin descubrir el «sentido dialéctico y materialista de la Historia» y se pueden narrar hechos ficticios que, sin embargo, pongan de relieve ese sentido, por lo que serían —en el fondo— más verdaderos que los reales (cfr. pág. 126).

En consecuencia, lo que determina la verdadera calidad, el verdadero «realismo» estético no es la técnica del reportaje o captación de los hechos tal como aparecen en la superficie, sino la *configuración* («partidista», en el sentido que veremos) de los mismos, que los hace aparecer como lo que realmente son: «relaciones clasistas entre hombres» (pág. 127).

De no comprender esto, según Lukács, proviene el considerar problema que, por ejemplo, en la novela proletaria de Ottwalt datos comprobados aparezcan como «casualidad» (faltos de verosimilitud) y que, sin embargo, en *Resurrección*, de Tolstoi, hechos imaginarios sean hechos «de necesidad». Por todo esto, no es extraño que el legitimista Balzac sea, sin embargo, un clásico de la concepción «realista».

Ante la pregunta de «si la novela burguesa culmina en Gide, Proust, Joyce, o bien si alcanzó su cénit ideal y artístico mucho antes —en Balzac, Stendhal y Tolstoi—» (pág. 231), para Lukács está claro que es en estos novelistas del XIX donde el realismo llega a su culminación.

Este realismo, que se opone tanto al naturalismo (Zola y su escuela) como al psicologismo, habría conseguido «la representación artística adecuada del hombre entero» (pág. 234) o «tipo».

Este «tipo» no es la descripción de una individualidad privada, ni una mera generalización, sino el adecuado reflejo, según la doctrina lukacsiana, de la significación («esencia» en su terminología) del hombre en la sociedad, significación que se agota íntegramente en su ser-en-sociedad y cuya raíz es en *último término*, económico-social.

En cuanto a la aporía que venimos refiriendo de la existencia de buenos (o «verdaderamente realistas») escritores burgueses, no pertenecientes sin embargo a la clase proletaria, portadora de la «verdad esencial», afirma: «Aquella contradicción que se nos presentó antes como la contradicción entre la ideología del escritor y el fiel reflejo del mundo observado, queda incluida ahora como problema de la intuición del mundo, como contradicción entre la capa más profunda y la superficial de su ideología» (pág. 239), o sea tales escritores serían superficialmente burgueses, pero, «profundamente», socialistas sin saberlo.

De aquí se deriva una precisa preceptiva. Más allá de la tradicional controversia entre los partidarios de lo que se ha venido a llamar «arte por arte» y los de «arte comprometido», Lukács postula la sustitución en el futuro de la literatura simplemente comprometida («tendenciosa» en el sentido que él le da) por una literatura «partidista».

La mayoría de estos autores que se han planteado esta cuestión de la «tendencia» (incluso autores revolucionarios como Mehring) se basan en los postulados de Kant y Schiller, o sea, dirá Lukács, en una estética inevitablemente «burguesa».

La «tendencia» se presenta como consecuencia de la relación entre arte y moral. Para Lukács, esto significa que no hay duda sobre el carácter «idealista» (falaz) de la «tendencia» porque sería una exigencia, un deber, un ideal que el escritor contrapone a la realidad y no se trataría de una consecuencia del mismo desarrollo social hecha consciente (en el sentido de Marx) por el poeta, sino de un «mandato» cuyo cumplimiento viene exigido por la naturaleza de las cosas.

El carácter «idealista» «burgués» (puro o, infiltrado en revolucionarios, «trostskista») de esta concepción —insistimos: la del arte comprometido o «tendencia»— se deriva, según la ortodoxia marxista de Lukács, de las siguientes falacias:

1) Contempla la diferente separación entre ámbitos de la labor humana como algo en sí y no, según el marxismo, como «reflejo ideológico de la división capitalista del trabajo».

2) Admite la moral como punto de partida en vez de «imagen ideológica» desfigurada e invertida de la praxis dirigida a la producción material.

3) Contrapone hombre y sociedad y no considera a ésta como «suma y sistema de los individuos», según enseña K. Marx y F. Engels en *Die Heilige Familie.*

4) Concibe la obra de arte no de modo puramente material, sino como realización de un «ideal estético».

5) Separa áreas del arte y la moral en contra del principio de que «constituyen resultados de la misma praxis social».

En consecuencia, Lukács postula que una buena estructuración literaria presupone no el compromiso, sino el «partidismo» del escritor (cfr. pág. 115). «Partidismo» sería escribir (consciente o inconscientemente) en la dirección del «sentido de la historia», dirección en la que guía el partido comunista, «aquel partido cuyos miembros únicamente se diferencian de los restantes proletarios por el hecho de que por una parte subrayan y valorizan en las distintas luchas nacionales de los proletarios los intereses de la nacionalidad y comunes a todo el proletariado, y por otra parte, representan siempre los intereses del movimiento común en las diferentes etapas evolutivas que recorre la lucha del proletariado contra la burguesía» (pág. 115).

En este rápido espigueo por las obras de Lukács, no podemos dejar de hacer alguna referencia a su teoría de los géneros literarios. Tomemos como ejemplo un escrito de madurez *(Der historischer Roman)*. En él, como hemos visto (pág. 115), se caracterizan los géneros «novela histórica» y «drama histórico» en sí mismos y en su mutua diferenciación, acudiendo al concepto que utiliza desde sus escritos premarxistas de «totalidad de la vida» y a la clave leninista de la «teoría del reflejo» que está presente en su doctrina precisamente a partir de este momento.

Así enumera Lukács algunos «hechos típicos» cuyo «reflejo» conduce a la configuración de la forma dramática:

a) Problema de la encrucijada en la vida del individuo y la sociedad.

b) Problema de que a alguien se le «pasa factura» por algo.

c) El hecho —de que habla Lenin— de que en determinado momento de la actuación uno debe agarrar con fuerza determinado eslabón entre la infinita serie de posibilidades.

d) La profunda familiarización de un hombre con su obra.

Cabría preguntarse: ¿Imitación realista de datos históricos o elementos típicamente intemporales? No parece dudosa la opinión que sostiene el predominio de los segundos en pasajes como el apuntado (que no es, ni mucho menos, único).

Así, aunque la producción lukacsiana diste de tener una homogeneidad sin fisuras, acierta Ludz al señalar las objeciones que cabe hacer y que se han hecho, por ejemplo en Wellek y Warren (1949), al conjunto de sus posiciones teóricas. Son las siguientes:

1. Escasa consideración de la inmanencia de la obra de arte que, sin embargo, aparece como «algo en sí mismo», además de como una realidad en una sociedad y en un momento histórico dado.

2. Lukács no ha sabido relacionar convicentemente los criterios fundamentales de su pensamiento con los resultados, a menudo acertados, de sus análisis de textos concretos.

3. No ha superado las contradicciones internas de su concepción, que le lleva a proponer modelos cuasi intemporales de perfección literaria, a la vez que defiende la radical *historicidad* de la obra de arte.

4. Heredero de una formación juvenil que, aunque implícitamente, no ha sido desechada del todo a través de su evolución, ni siquiera ha llegado a desarrollar una teoría de la literatura y una estética marxista consecuente en sí misma. Por consiguiente, alienta la sospecha de que no es posible la construcción de una estética autocoherente utilizando los elementos suministrados por Marx y Engels.

Está claro, desde luego, que las tres primeras objeciones no serían merecedoras de la menor atención por parte de un pensador marxista como Lukács que cree tener la «fórmula» del verdadero curso de la historia y con quien, por consiguiente, resulta imposible del todo discutir tal *a priori* (cfr. pág. 26).

Hay que tener también en cuenta que, a pesar de las varias influencias filosóficas señaladas en su planteamiento —y de los coqueteos tácticos con la «teoría lingüística» estalinista y todo lo demás de su azarosa vida política (en el fondo, poco importante desde el punto de vista doctrinal)— Lukács «se entregó siempre a la *dialéctica* de esencia y apariencia, de vida y forma, de sujeto y objeto, de lo individual y general» (pág. 27).

Esto tiene aplicación tanto para su producción temprana —no programáticamente marxista— como para su producción posterior influenciada por Hegel y Marx. Así se explica que, aun con prólogos puntualizadores, haya podido reeditar en los años sesenta, trabajos de la primera etapa.

En su producción juvenil, Lukács buscó una concreción para la pregunta fundamental de su estética, que podría resumirse en la siguiente formulación: «¿lo histórico-social tiene importancia para la estructura del valor? Y, en caso afirmativo, ¿hasta qué punto?» (pág. 28).

Según venimos diciendo de la mano de Peter Ludz, en la respuesta de Lukács se da una aparente contradicción entre, por una parte, la búsqueda del «valor», de la «esencia» en el concepto de «totalidad» impresionista tomado de la «filosofía de la vida» de Simmel; y, por otra parte, su historicismo a ultranza. Tal contradicción, sin embargo, no tiene carácter subjetivo, sino *objetivo:* está imbricada en la temprana afirmación lukacsiana de la *dialéctica* (a la que nos hemos referido), que presenta expresión vacilante en sus primeros escritos de teoría literaria, pero a la que «la cruda polarización de esencia y aparición en el marco de su historización posterior (marxista) ilumina con toda su agudeza» (pág. 29).

En su temprana obra *Die Theorie des Romans,* unifica los distintos instantes del mundo griego, tal como los juntó el clasicismo alemán, en una expresión melancólica: la *totalidad.* En el fondo, se apoyó siempre en este ideal clásico-humanista y así preservó su «Filosofía de la Historia hegeliano-marxista de caer, en la práctica, en el relativismo» (cfr. pág. 33).

Sin embargo, la concepción «dialéctico-materialista de las categorías "aniquila" toda metafísica, al igual que las formas puras de la lógica, pero "aniquilación" —sigue diciendo Peter Ludz— significa ideologización de Metafísica y Lógica» (pág. 34), es decir, eliminados los *primeros principios,* se busca la base en que apoyarse en un contenido político social. «La relación dialéctica entre la forma artística y el contenido artístico, o bien, entre sujeto y objeto históricos, expresan para el Lukács maduro la imagen o expresión de los antagonismos dentro de la sociedad burguesa» (pág. 37). Aunque había escrito que «la identidad de sujeto y objeto pensada en este microcosmos, consiste en el hecho de que la obra estética posibilita la realización inmanente de la vivencia pura como «realidad utópica» (pág. 41), Lukács condenó posteriormente estas posturas que llevan, aun sin quererlo, desde la Estética a la Metafísica.

Hemos dicho que Lukács se mantuvo fiel a los principios de su primera época, pero, por otra parte, hay ejemplos de una evidente gradación; así «la historización que aparece con mayor fuerza en obras posteriores destruye la (preconizada) unidad de sujeto y objeto en la tragedia, completada en sí misma y conservando la esencialidad de lo dramático, unidad que concibió en *Die Theorie des Romans*» (pág. 44). Igualmente «la infinidad y liberalidad empíricas del anterior concepto de vida o realidad, según el cuño de la filosofía de la vida, quedaron reducidos a *vida popular*» *(ibíd.).*

Por otra parte, sigue diciendo Ludz, «prescindiendo del hecho de que con su exigencia de identidad atenta contra la versión leniniana de la teoría de la espontaneidad; mediante la citada identidad, la teoría marxista no resolvió nunca con precisión el problema de la inmediatez y de la mediación, de la espontaneidad y de la conciencia, esto es, de la primera y la segunda ingenuidad» (pág. 45).

Si las constantes reminiscencias del joven Lukács en su obra posterior suscitan aprensiones en los cultivadores rigurosos del marxismo, respecto a problemas como los aludidos que, por cierto, tampoco en el marxismo encuentran solución; la primacía que nuestro autor otorga a la «forma» lo separa radicalmente del «contenidismo» de los «marxistas vulgares». Así, dirá que «las mayores faltas de la contemplación sociológica del arte consisten en que busca y analiza los contenidos de las creaciones artísticas, queriendo establecer una línea directa entre ellas y determinadas condiciones económicas. Pero lo verdaderamente social de la literatura es la forma» (pág. 67).

Es preciso recordar inmediatamente que no se trata de una forma externa, sino de una forma del contenido a la que llama también «esencia» en un sentido materialista que nada tiene que ver, por supuesto, con la *esencia* aristotélica.

Antes de transcribir las preguntas que, según Peter Ludz, quedan en el aire tras repasar los estudios literarios de Lukács, insistamos con su crítico en la condición difusamente marxiana (más que escolásticamente marxista) de Lukács, incluso en su última época. Por ejemplo, en su trabajo sobre *Los Campesinos,* de Balzac, «Lukács exige "la estructuración del proceso general de la sociedad" como *conditio sine qua non* para toda novela "verdadera". Se trata de mostrar al "hombre completo", "lo socialmente necesario en lo típicamente individual". Con esta formulación, rozamos el concepto básico de *tipo* en Lukács, ya iniciado en *Die Theorie des Romans,* pero sólo desarrollado en su madurez» (pág. 52).

Así las cosas, Peter Ludz formula las siguientes preguntas (cfr. pág. 54):

1) ¿Hasta qué punto queda demostrado que las «estructuras sociales» se introducen en las «estructuras de contenido y formales» de la obra artística en el sentido del Lukács ya maduro?

2) ¿Se puede proponer la Estética, dentro del marco del materialismo histórico, tal como quiere Lukács, unas determinaciones precisas —«específicas»— entre la Literatura y la sociedad en unas situaciones históricas dadas?

3) ¿O bien hay que afirmar que una sociología marxista de la literatura se contenta con obtener unos resultados generales de las relaciones histórico-sociológicas entre Literatura y Sociedad, en el marco interpretativo de un amplio dogmatismo de la historia?

4) ¿Cómo encaja la inclusión del elemento utópico —aquel final de la Historia que hará del tiempo pasado la prehistoria de la humanidad—, exigido por la teoría marxista, en la concepción

que Lukács tiene de la «gran épica», posibilitada, según él, por una plenitud que *se ha dado ya.*

5) ¿Hasta qué punto la teoría del conocimiento de la literatura, tal como queda resumida en el concepto de *tipo,* es capaz de comprender formas de vida y formas artísticas que *no* entran en los extremados procesos de racionalización de la edad moderna, procesos supuestos y que también se esbozan en la literatura?

6) Finalmente, si los procesos estéticos están radicalmente sujetos a historicidad ¿hasta qué punto son aceptables los criterios básicos del mismo Lukács, que habrán de responder —ellos también— a un momento dado de la Historia?

Aparte de todos estos problemas —y refiriéndonos sólo a la época rigurosamente marxista del Lukács maduro— hay dos cuestiones fundamentales en las que se debate su estética: la «teoría del reflejo» y la de las «mediaciones correctas».

La teoría del conocimiento de Lenin («teoría del reflejo») es tomada por Lukács de la obra *Materialismo y Empiriocriticismo* del aquél. Se trataría de explicar cómo es posible el paso de lo material a lo aparentemente inmaterial. La aceptación de este supuesto como vía que busca una explicación al arte, partiendo del *a priori* de la negación del espíritu, lleva aparejada la dificultad de tener que demostrar dos supuestos más: que la obra de arte es un modo más de conocimiento y que toda manifestación literaria es reflejo, aunque no lo parezca, de una realidad material. Esta aplicación al arte de la teoría del reflejo llena una gran parte de la *Estética* del último Lukács (cfr. Alva, 1975: 133-171).

Al preguntarse, en el marco de la Filosofía de la Historia de Hegel y Marx, qué significa la «vida reflejada» desde el punto de vista del desarrollo de la humanidad. Lukács vuelve una y otra vez al problema de las «mediaciones». Se trata de buscar cuáles son los caminos por los que unas relaciones de producción, aun en *último término,* aparecen con tal precisa forma (de contenido). Es un problema que puede ser formulado también mediante los términos «esencia» y «apariencia».

Como dice Peter Ludz, «la teoría marxista de la Literatura de Lukács intenta analizar como parte del materialismo histórico, las condiciones histórico-sociales, y analizar las estructuras económicas y las luchas de clase en la sociedad burguesa en su influencia sobre las estructuras de contenido y de forma de la literatura» (...), pero cómo, por ejemplo, «las discusiones dramatúrgicas nacen directamente de la lucha de clases *(Das historische*

Roman) no puede ser respondido por la estética del materialismo histórico de procedencia lukacsiana» (pág. 56).

Un ejemplo revelador podría ser el tratamiento que recibe el tema teórico-literario, al que ya hemos aludido, de los «géneros». Lukács los explicará en clave en *último término* económico-social (el subrayado que ponemos siempre quiere diferenciar a Lukács de los «marxistas vulgares»), o sea «los géneros literarios se producen únicamente cuando se han formulado hechos generales de vida, típicos y que se reproducen regularmente, cuya particularidad de contenido y de forma no podría reflejarse de manera adecuada en las formas ya existentes» (pág. 57). Lo que, como sigue diciendo su antólogo, hace que Lukács caiga aquí «en el mismo peligro de una "clasificación demasiado abstracta" constatada por Adorno en la sociología empírica de Occidente» (pág. 58).

Estos supuestos configuran la teoría literaria lukacsiana como una preceptiva estética del «realismo» (término, como hemos visto, más general que el de la escuela decimonónica del mismo nombre de cuyos autores Lukács admira a bastantes).

En fin, de lo dicho al hilo del trabajo de Ludz, muy ajustado a una lectura objetiva de los textos lukacsianos, ahora podemos dar un paso más y precisar que «Sociología de la literatura» ha de ser entendida como un apartado de la Filosofía de la Historia dialéctica y materialista y no propiamente como un tipo de «Teoría» de la Literatura.

Conviene insistir el carácter decisivo y las consecuencias que tiene la cosmovisión marxista cuando contemplamos en conjunto la producción lukacsiana: ahí radica su unidad y no en unas cuantas obsesiones iniciales a veces reiteradas.

En efecto, los escritos primerizos y la época hegeliana son componentes de una etapa que podemos llamar «premarxista» en cuanto sus postulados tenían que desembocar necesariamente en el marxismo.

Los estudios dedicados por Lukács a la realización de una estética o una crítica literaria marxista no sólo constituyen mayoría absoluta desde el punto de vista cuantitativo, sino también cualitativamente considerados.

Es cierto que Lukács, como cualquier crítico literario, tiene sus propios gustos como lector en los que influyen su temperamento, su formación, etc. No es extraño, así, que su formación clasicista le haga ver en el mundo griego la plenitud de géneros literarios que manifestarían la plenitud de la vida, luego gravada por la división del trabajo y las restantes «miserias del capitalismo». Igualmente es muy de su época el gusto por los grandes realistas del XIX: Balzac, Tolstoi, etc.

Lukács comparte con la generalidad de los autores de la historia de la crítica este tender a justificar con su poética consciente sus gustos inconscientemente vividos. Lo que es específico de su postura marxista (conocedora de la «clave» de la historia) es la necesidad que siente de convertir su estética en una férrea preceptiva y, así, se ve abocado a descalificar gran parte de la producción contemporánea que no casa con sus ideas (Joyce, Faulkner, etc.), e incluso a autores marxistas como Brecht.

Es verdad que está lejos de una serie de manifestaciones que él mismo denuncia como propias del «marxismo vulgar»: la creencia de que existe una relación mecánica (automática) entre contenidos sociales y contenido de la obra literaria; la clasificación ideológico-literaria según la clase social a que pertenece el escritor (sin caer en la cuenta de que éste puede transmitir, aunque sea inconscientemente, posturas distintas de las propias de su clase); la ignorancia de las múltiples mediaciones existentes entre sociedad y cultura; etc. Sin embargo, no deja de caer en dogmatismos como el mencionado de excluir parte de la gran literatura contemporánea del mundo de la Estética. La escuela neomarxista de Frankfurt le ha criticado estas posturas, aunque pensamos que la nueva justificación buscada por éstos para que quepa la literatura «no realista» en su teoría (la negación de la realidad actual inaceptable anuncia la utopía final) adolece del mismo defecto de tener que someter el análisis de los hechos estéticos al *a priori* marxista. El problema en la estética de Lukács, como en cualquier estética marxista, reside en que se «está previamente en el secreto», en vez de estar atendiendo a la realidad y al misterio.

El «primer secreto» en el que está Lukács es en el de la dialéctica hegeliana; sin embargo, su temprana obsesión por relacionar el valor literario con los contenidos sociales presagiaba ya ese paso al materialismo dialéctico de su producción madura. Así, siendo la literatura una imagen ideológica de la praxis (aunque sin el carácter necesariamente falaz que tendrían, según él, otras «imágenes ideológicas» como la religión), resulta lógico que se descalifique la literatura simplemente «comprometida» (o derivada de una ética objetiva) y se propugne la «partidista». Mientras que el «compromiso» sería un añadido, el «partidismo» no sería más que una manifestación de ese «estar en el secreto», que permite poner de relieve las verdaderas raíces de la historia descubiertas por el partido del proletariado.

De ahí, el «partidismo» inconsciente que, como hemos dicho, atribuye, siguiendo a Marx, a Balzac, Scott, etc., autores admirados por él que pertenecían, sin embargo, a la clase dominante. O sea, el *a priori* teórico tiene las siguientes consecuencias en la práctica crítica: supuesta la calidad de Balzac, por ejemplo, presuponemos cuál ha de ser la causa (su partidismo inconsciente). En cambio, cuando autores mediocres son verdaderamente «partidistas» hay que admitir que lo son sólo «mecánicamente». Y esto es sólo una cara de la moneda: quien de ningún modo pueden ser calificados de partidistas (psicologistas, experimentalistas, formalistas, etc.) son borrados del catálogo.

En los últimos tiempos, diversos estudiosos marxistas de la literatura han defendido que las contradicciones de la estética lukacsiana no proceden del marxismo, sino de la peculiar interpretación de este autor, concretamente de su defensa, desde el principio de su carrera, del concepto básico de «totalidad», y de su aceptación, en sus etapas marxistas, de la tesis leninista del «reflejo».

La teoría del reflejo —dicen— se aplica al conocimiento, pero no tiene nada que ver con el arte. Lukács —seguirán— secunda a Hegel en la consideración dela Literatura como una forma de conocimiento y, de ahí, se carga con una dificultad no marxista. Claro que, aunque el arte no sea una «forma de conocimiento», es una actividad «aparentemente» espiritual cuya raíz «únicamente material», según el marxismo, tendrá que ser explicada. Si no la explica la teoría del reflejo, como tampoco cualquier otra postura hasta la fecha (p. e., la obra de Galvano della Volpe, 1960), incluso aquellos que no puedan admitir que tal planteamiento no tenga solución materialista, tendrán que aceptar que la dificultad señalada no es sólo lukacsiana, sino marxista.

En cuanto a la «totalidad», se trata de una intuición del carácter de la obra de arte cuyo fundamento está conectado con la constitución de la Estética en cuanto tal. El descubrimiento hecho por un espíritu humano que muestra cualquier obra literaria se configura como valioso estéticamente si revela lo «esencial», lo «pleno», la «totalidad» o sea, algo del ser de las cosas, pero si no existe más que la realidad inmanente, sometida a una historización cuyo final (también inmanente) es la utopía de la «sociedad sin clases», del «reino de la libertad en el reino de la necesidad», ninguna literatura podrá reflejar una plenitud que todavía no existe.

De aquí derivan las contradicciones fundamentales en el pensamiento de Lukács. Reconoce la existencia de una literatura «clásica» o en plenitud, pero admite que nada hay permanente y que cada obra es manifestación de un momento en el continuo fluir de la Historia; pone como objetivo de la obra de arte lograda la captación de lo *esencial*, pero la esencia se diluye en el marxismo en un mero sentido de ese devenir histórico.

La dificultad con que nos encontramos radica, en definitiva, en que Lukács quiere constituir una Estética (literaria) y, en el marxismo, el arte (la literatura) ha de ser tratada sólo como un aspecto más de la única historia social (materialista y dialéctica). La Estética, en esta visión del mundo, es o un mero nombre de un apartado de la historia (social) o una mistificación.

Quizás no sea el menor mérito de Lukács el haber mostrado sin pretenderlo que, a pesar de todos sus esfuerzos por tender puentes, «marxismo» y «estética» (en sentido metafísico) son términos que se excluyen mutuamente.

La discusión de los supuestos de Lukács no invalida numerosos aciertos parciales. Por ejemplo, al subrayar el valor del componente social en la configuración literaria, ha descubierto con sagacidad los condicionantes sociológicos en la evolución de los géneros literarios y en la caracterización de muchos de ellos. El exceso de pensar en «determinación» y no en «condición» ha servido de contrapeso para los que olvidaban esta importante realidad: la literatura se da en la sociedad en un momento dado, influye en ella y es influida por esa sociedad a la que también pertenece el autor.

En cuanto a su ejercicio como crítico literario (observaciones aguda aparte), siendo férrea la teoría o preceptiva en que se fundamenta, cada práctica parece más dirigida a forzar la demostración del *a priori* teórico que a conseguir una valoración justa de la obra de que se trate. El hecho de que los textos críticos, frutos a veces de un gusto acertado, se vean constreñidos a someterse a sus conceptos de «realismo crítico» y «realismo socialista», así como que sólo reconozca la posibilidad de valoración positiva en la literatura que él llama «popular», deja patente tanto la coherencia interna de la obra de Lukács como sus consecuencias inaceptables.

Creemos que, al cabo, se deduce que tampoco esa propiedad de raíz social que Lukács llama «realismo» es constituyente de la *literariedad*. Tal vez, después de todo, resulte que sabemos más lo que *no* es *literariedad* que lo que la constituye. Si esto fuera así, ya sería un paso.

REFERENCIAS

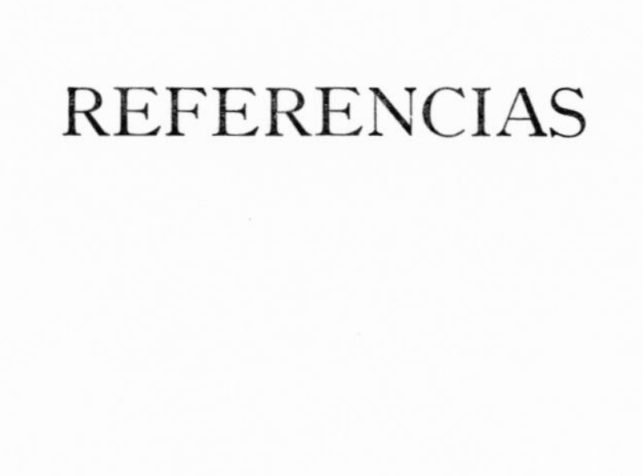

ADORNO, T. W.
1958 *Notas sobre literatura,* Barcelona, Ariel, 1962.
ADRADOS, F. R.
1969 *Lingüística estructural,* Madrid, Gredos.
ALARCOS LLORACH, E.
1955 *La poesía de Blas de Otero,* Oviedo, Universidad, 2.ª ed., Salamanca, Anaya, 1973.
1976 *Estudios y ensayos literarios,* Madrid, Júcar.
ALONSO, A.
1935 «Noción, emoción, acción y fantasía en el diminutivo», en *Estudios lingüísticos, Temas españoles,* Madrid, Gredos, 1961, 2.ª ed., págs. 161-189.
1951 *Poesía y estilo de Pablo Neruda,* Buenos Aires, Sudamericana.
1955 *Materia y forma en poesía,* Madrid, Gredos.
ALONSO, D.
1942 *La Poesía de San Juan de la Cruz,* Madrid, Aguilar.
1950a *Poesía española,* Madrid, Gredos, 1966, reimpresión.
1950b *La lengua poética de Góngora,* Madrid, C. S. I. C.
1955 *Estudios y ensayos gongorinos,* Madrid, Gredos.
ALONSO, D., y BOUSOÑO, C.
1951 *Seis calas en la expresión literaria española,* Madrid, Gredos.
ALVA, J. L. S. DE
1975 «La Peculiaridad de lo Estético» (*Estética,* tomo I), en L. Clavell y J. L. S. A. *György Luckács: Historia y conciencia de clase y Estética,* Madrid, Magisterio Español («Crítica filosófica»), págs. 127-201.
ALVAR, M.
1976 *Visión en claridad (estudios sobre «Cántico»),* Madrid, Gredos.
AMORÓS, A.
1968 *Sociología de una novela rosa,* Madrid, Cuadernos Taurus.
1979 *Introducción a la literatura,* Madrid, Castalia.
L'Analyse structurale du récit (colectivo).
1966 *Communication,* 8.
ARISTÓTELES
S. IV a. J. C. *Poética.* Edición trilingüe por V. García Yebra. Madrid, Gredos, 1974.
AUERBACH, E.
1942 *Mimesis. La representación de la realidad en la literatura occidental,* México, F. C. E., 1950.
AUSTIN, J. L.
1955 *Palabras y acciones. Cómo hacer cosas con palabras,* Buenos Aires, Paidós, 1971.

BÁEZ SAN JOSÉ, V.
1971 *La Estilística de Dámaso Alonso,* Publ. de la Universida de Sevilla.

BALBÍN, R. DE
1962 *Sistema de rítmica castellana,* Madrid, Gredos.

BALLESTERO, M.
1974 *Crítica y marginales. Compromiso y trascendencia del símbolo literario,* Barcelona, Barral.

BALLY, Ch.
1921 *Traité de stylistique française,* Paris, Klincksieck y Genève, Georg., 1951, 3.ª ed.

BAQUERO GOYANES, M.
1970 *Estructura de la novela actual,* Barcelona, Planeta.

BERENGUER, A.
1971 «Para una aplicación del método estructuralista genético al estudio del teatro español contemporáneo», en *Prohemio,* II, 3, Madrid, págs. 503-512.

BIERWICH, M.
1965 «Poetics and Linguistics», en D. Freeman (ed.), *Linguistics and Literary Style,* New York, Holt, Linehart and Winston, 1970, págs. 96-115.

BOBES NAVES, M. C.
1973 *La Semiótica como Teoría lingüística,* Madrid, Gredos.
1975 *Gramática de «Cántico»,* Planeta, Universidad de Santiago.
1977 *Gramática textual de Belarmino y Apolonio,* Madrid, Cupsa.
1978 *El comentario de textos literarios,* Madrid, Cupsa.

BOBES NAVES, M. C.; NÚÑEZ RAMOS, R.; CANOA GALIANA, J. A.; ALVAREZ SANAGUSTÍN, J. A.
1974 *Crítica semiológica,* Universidad de Santiago de Compostela.

BONNET, H.
1955 *Roman et poésie. Essai sur l'esthétique des genres,* Paris, Nizet.

BOOTH, W.
1963 *Rhetoric of Fiction,* Chicago Univ. Press. (Existe trad. cast., Barcelona, Bosch, 1974.)

BOSQUE, I.
1982 «Más allá de la lexicalización», *Boletín de la R. A. E.,* LXII, 225, páginas 103-158.

BOURGET, J. L.
1977 «Ni de roman ni du théâtre. *La Maison Nucingen», Poétique,* 32, páginas 459-467.

BOUSOÑO, C.
1952 *Teoría de la expresión poética,* Madrid, Gredos, 1970, 5.ª ed.
1977 *El irracionalismo poético,* Madrid, Gredos.
1979 *Surrealismo poético y simbolización,* Madrid, Gredos.

BRUNETIÈRE, F.
1890 *L'évolution des genres dans l'histoire de la littèrature française. Introduction, L'évolution de la critique depuis la Renaissance jusqu'à nos jours,* Paris, Hachette.

BRUSS, E.
1974 «L'autobiographie considerée comme acte littéraire», *Poétique,* 17, páginas 14-26.

BÜHLER, K.
1934 *Teoría del lenguaje,* Madrid, Revista de Occidente, 1967, 3.ª ed.

CANOA GALIANA, J.
1977 *Semiología de las «Comedias Bárbaras»,* Madrid, Cupsa.
CASES, C.
1970 «La Crítica sociológica», en *I Metodi attuali della critica in Italia,* Torino, R. A. I., págs. 22-40.
CASTELLET, J. M.
1957 *La Hora del lector,* Barcelona, Seix Barral.
1976 *Literatura, ideología y política,* Barcelona, Anagrama.
CLARÍN (Leopoldo Alas)
1885 *La Regenta,* Barcelona, Daniel Cortezo, 2 vols.
COHEN, J.
1966 *Estructura del lenguaje poético,* Madrid, Gredos, 1970.
1979 *Le Haut Langage,* Paris, Flammarion.
El Comentario de textos (colectivo).
1973-75, Madrid, Castalia, vols. I, II, III.
COMUNICACIÓN (equipo)
1970 «La Crítica literaria en España», *Cuadernos para el diálogo,* diciembre.
COSERIU, E.
1958 «Sistema, norma, habla», en *Teoría del lenguaje y lingüística general,* Madrid, Gredos, 1967, págs. 12-113
Creación y público en la Literatura española (colectivo).
1972 Madrid, Castalia.
CRESSOT, M.
1951 *Le Style et ses techniques,* Paris, P. U. F.
CROCE, B.
1902 *Estetica como scienza dell'expressione e linguistica generale,* Bari, Laterza.
1910 *Problemi di Estetica,* Bari, Laterza.
CULLER, J.
1975 *La Poética estructuralista,* Barcelona, Anagrama, 1978.

CHARLES, M.
1977 *Rhétorique de la lecture,* Paris, Seuil.
CHOMSKY, N.
1957 *Syntactic Structures,* Gravenhage, Mouton («Janua Linguarum»).

DELAS, D., y J. J. THOMAS
1978 *Poétique générative, Langages,* 51, Paris, Didier-Larousse.
DIAS, AUGUSTO DA COSTA
1962 *La crisis de la conciencia pequeño-burguesa en Portugal. El nacionalismo literario de la generación del 90,* Madrid, Península, 1966.
DÍAZ, E.
1974 *Notas para una historia del pensamiento español actual* (1939-1973), Madrid, Edicusa, 2.ª ed., 1978.
DÍEZ TABOADA, J. M.
1965 «Notas sobre un planteamiento moderno de la Teoría de los Géneros

literarios». *Homenajes. Estudios de Filología Española,* II, Madrid, páginas 11-20.

DIJK, T. A. VAN

1972 *Some Aspects of Text Grammars,* The Hague, Mouton.

1973 «Modèles génératifs en théorie littéraire», en A. A. V. V., *Essais de la théorie du texte,* Paris, Galilée, 1973.

1977 *Texto y contexto,* Madrid, Cátedra, 1980.

DIJK, T. VAN (ed.)

1979 *The Future of Structural Poetics, Poetics,* VIII, Amsterdam, North-Holland.

DOMÍNGUEZ CAPARRÓS, J.

1981 «Literatura y actos de lenguaje», *Anuario de Letras,* XIX. Centro de Lingüística Hispánica de la Facultad de Filosofía y Letras de la Universidad Autónoma de México, págs. 89-132.

DUBOIS, J., y otros

1970 *Rhétorique générale,* Paris, Larousse («Langue et langage»).

ECO, U.

1968 *La Estructura ausente. Introducción a la semiótica,* Barcelona, Lumen, 1975.

1975 *Tratado de semiótica general,* Barcelona, Lumen, 1977.

1980 *Lector in fabula,* Barcelona, Lumen, 1981.

ENQVIST, N. E.

1964 «Para definir el estilo: ensayo de lingüística aplicada», en N. E. Enqvist, J. Spencer y M. Gregory, *Lingüística y estilo,* Madrid, Cátedra, 1974, págs. 19-74.

ENQVIST, N. E. (ed.)

1978 *Literary Stylistics, Poetics,* VII, 4, Amsterdam, North-Holland.

L'enseignement de la littérature (colectivo)

1971 Paris, Plon.

ERLICH, V.

1955 *El formalismo ruso,* Barcelona, Seix Barral, 1974.

ESCARPIT, R. (ed.)

1970 *Hacia una sociología del hecho literario,* Madrid, Edicusa, 1974.

FERNÁNDEZ RETAMAR, R.

1963 *Idea de la Estilística,* Universidad de La Habana.

FERRERAS, J. I.

1970 *Teoría y praxis de la novela. La última aventura de D. Quijote,* París, ed. Hispanoamericanas.

1971 «La sociología de Lucien Goldmann», en *Revista de Occidente,* 105, Madrid, págs. 317-336.

1980 *Fundamentos de Sociología de la Literatura,* Madrid, Cátedra.

FLYDAL, L.

1962 «Les Instruments de l'artiste en langage», *Le François moderne,* XXX, 3, 1962, págs. 161-171.

FOKKEMA, D. W., e IBSCH, E.

1977 *Teorías de la literatura del siglo XX,* Madrid, Cátedra, 1981.

FRANÇOIS, D.
1969 *La Linguistique Guide Alphabetique* sous la direction d'André Martinet, Paris, Denoël, págs. 103-115. Existe traducción castellana.
FRANÇOIS, F.
1968 «La Langage et ses fonctions», en *Le Langage* (sous la direction d'André Martinet), Paris, Gallimard (N R F).
FRIEDMAN, N.
1955 «Point of View in Fiction. The Development of a Critical Concept», *P. M. L. A.*, LXX, págs. 1160-1184.
FRIES, Ch. C.
1969 *The Structure of English. An Introduction to the construction of English Sentences*, London, Longman, 1969, reimpresión.
FRYE, N.
1957 *Anatomía de la crítica*, Caracas, Monteávila, 1977.
FUBINI, M.
1956 *Critica e poesia*, Bari, Laterza.

GARASA, D. L.
1969 *Los géneros literarios*, Buenos Aires, Columba.
GARCÍA BERRIO, A.
1973 *Significado actual del formalismo ruso*, Barcelona, Planeta.
1975 *Introducción a la poética clasicista: Cascales*, Barcelona, Planeta.
1977-79 *Formación de la Teoría literaria moderna*, I, Madrid, Cupsa, 1977, y II, Málaga, Universidad, 1977.
1977 «Lingüística del texto y tipología lírica (La tradición textual como contexto)», en J. S. Petöfi y A. G. B., *Lingüística del texto y crítica literaria*, Madrid, Alberto Corazón ed. («Comunicación»), 1978, págs. 311-366.
GARCÍA BERRIO, A., y VERA LUJÁN, A.
1977 *Fundamentos de teoría lingüística*, Málaga, Alberto Corazón ed. («Comunicación»), 1977.
GARCÍA CALVO, A.
1958 «Funciones del lenguaje y modalidades de la frase», *Estudios clásicos*, 1958, págs. 329-350.
GARCÍA MOREJÓN, J.
1961 *Límites de la estilística. El ideario crítico de Dámaso Alonso*, Assis, Facultad de Filosofía, Ciencias y Letras.
GARRIDO GALLARDO, M. A.
1973 *Estructura social en la Teoría de la literatura*, Madrid, Facultad de Filosofía y Letras.
1974a «Actualización del "Comentario de textos literarios"», *Revista de Literatura*, 73, 74, Madrid, págs. 119-126.
1974b «Retórica», en *Gran Enciclopedia Rialp*, s. v.
1974c «Presente y futuro de la estilística», *R. S. E. L.*, IV, 2, págs. 207-218.
1975 *Introducción a la teoría de la literatura*, Madrid, S. G. E. L.
1977 «Treinta y cinco años de la Teoría de la literatura y de la Crítica literaria en España (1940-1975)». Comunicación en el VI Congreso Internacional de Hispanistas celebrado en Toronto del 22 al 26 de agosto, *Actas*, 1980, págs. 57-63.
1978 «Todavía sobre las funciones externas del lenguaje», *R. S. E. L.*, VIII, 2, 1978, págs. 461-480.

1980a «Sobre la Semiótica (o Teoría) literaria actual», *Revista de Literatura*, XLII, 83, 1980, págs. 5-24.
1980b «Obra abierta y mensaje literal». Comunicación en el VII Congreso Internacional de Hispanistas celebrado en Venecia del 25 al 30 de agosto, *Actas*, 1981, págs. 529-537.
GENETTE, G.
1979 *Introduction a l'architexte*, Paris, Seuil.
GOLDMANN, L.
1955 *El hombre y lo absoluto*, Barcelona, Península, 1968.
1964 *Para una sociología de la novela*, Madrid, Ciencia Nueva, 1967.
GOYTISOLO, J.
1959 *Problemas de la novela*, Barcelona, Seix Barral.
GREIMAS, A. J.
1966 *Semántica estructural*, Madrid, Gredos, 1971.
1970 *En torno al sentido*, Madrid, Fragua, 1973.
GUIRAUD, P.
1955 *La Estilística*, Buenos Aires, Nova, 1970.
1968 «Les fonctions secondaires du langage», en *Le Langage* (sous la direction d'André Martinet), Paris, Gallimard. Encyclopedie de la Pleiade, págs. 435-512.
GULLÓN, R.
1979 *Psicologías del autor y lógicas del personaje*, Madrid, Taurus.

HAMBURGER, K.
1957 *Logik der Dichtung*, Stuttgart, Ernst Klett Verlag, 1968, 2.ª ed.
HATZFELD, H.
1955 *Bibliografía crítica de la nueva estilística aplicada a las literaturas románicas*, Madrid, Gredos.
HENDRICKS, W. O.
1973 *Semiología del discurso literario (Una crítica científica del arte verbal)*, Madrid, Cátedra, 1976.
HERNADI, P.
1972 *Teoría de los géneros literarios*, Barcelona, Antoni Bosch, 1978.
HERNÁNDEZ DE MENDOZA, C.
1962 *Introducción a la estilística*, Bogotá, Publicaciones del Instituto «Caro y Cuervo».
HERNÁNDEZ VISTA, V. E.
1963 *Figuras y situaciones en la Eneida*, Madrid, Servicio Comercial del libro, 1964, 2.ª ed.
1964 «Sobre la linealidad de la comunicación lingüística», en *Problemas...*, págs. 271-297.
Historia y estructura de la obra literaria (colectivo)
1971 Coloquios celebrados del 28 al 31 demarzo de 1967. Madrid, C. S. I. C.
HOLENSTEIN, E.
1975 *Jakobson ou le structuralisme phénomenologique*, Paris, Seghers («Philosophie»).

IBÁÑEZ LANGLOIS, J. M.
1964 *La Creación poética*, Madrid, Rialp.
1979 *Introducción a la literatura*, Pamplona, Eunsa.

INGARDEN, R.
1931 *Das literarische Kunstwerk,* Tübingen, Max Niemeyer, 1960.
IHWE, J. F.
1975 «On the foundations of generative metric», *Poetics,* IV, 4, págs. 367-399.
ISER, W.
1972 *Der Implizite Leser,* München, W. Fink.

JAKOBSON, R.
1958 «Lingüística y Poética», en Th. S. Sebeok (ed.), *Estilo del lenguaje,* Madrid, Cátedra, 1974, págs. 125-173.
1973 *Questions de poétique,* Paris, Seuil.
JAUSS, H. R.
1970 *Literaturgeschichte al Provokation,* Frankfurt, Shurkamp. (La última trad. cast. en Barcelona, Laia, 1979.)
JOHANSEN, S.
1949 «La notion de signe dans la Glossématique et dans l'Esthetique», *T. C. L. C.,* V, págs. 288-303.
JOLLES, A.
1930 *Einfache Formen,* Tübingen, Max Niemeyer, 1958, 2.ª ed.

KAYSER, W.
1948 *Interpretación y análisis de la obra literaria,* Madrid, Gredos, 1970 (reimpresión).
KERBRAT-ORECCHIONI
1980 *L'Enonciation de la subjectivité dans le langage,* Paris, Colin.
KOHLER, P.
1938-9 «Contribution à une philosophie des genres», *Helicon,* I, págs. 233-244 y II, págs. 135-147.
KRISTEVA, J.
1969 «La Semiologie comme science des idéologies», *Semiótica,* I, 2, páginas 196-204.
KUHN, Th. S.
1962 *La Estructura de las revoluciones científicas,* México, F. C. E., 1978.

LAPESA, R.
1948 «La Trayectoria poética de Garcilaso», Madrid, *Revista de Occidente.*
LÁZARO CARRETER, F.
1969 «La lingüística norteamericana y los estudios literarios en la última década», *Revista de Occidente,* 81, Madrid, págs. 319-347. Ahora recogido en *Estudios P.,* págs. 31-49.
1971 «Función poética y verso libre», en *Homenaje a F. Ynduráin,* Universidad de Zaragoza, págs. 201-216. Ahora en *Estudios P.,* págs. 51-62.
1972 «La Poética de Arte mayor castellano», en *Studia in honorem R. Lapesa,* Madrid, Gredos, págs. 343-378. Ahora en *Estudios P.,* págs. 75-111.
1974 «Consideraciones sobre la lengua literaria», en *Doce ensayos sobre el* lenguaje, Madrid, Publicaciones de la Fundación Juan March, págs. 5-48. Ahora en *Estudios L.,* págs. 195-206.
1975 «¿Es poética la función poética?», en *Nueva Revista de Filología Hispánica,* XXIV, México D. F., págs. 1-12. Ahora en *Estudios P.,* págs. 63-73.

1976a *¿Qué es Literatura?*, Santander, Publicaciones de la Universidad Internacional Menéndez Pelayo. Ahora en *Estudios L.*, págs. 175-192.
1976b *Estudios de Poética (la obra en sí)*, Madrid, Taurus.
1976c «The Literal Message», *Critical Inquiry*, III, 2, Chicago, págs. 315-332. Ahora en *Estudios L.*, págs. 149-171.
1980 *Estudios de Lingüística*, Barcelona, Crítica.

LEJEUNE, Ph.
1973 «Le pacte autobiographique», *Poétique*, 14.

LEVIN, S. R.
1962 *Estructuras lingüísticas de la poesía*. Presentación y apéndice de F. Lázaro Carreter, Madrid, Cátedra, 1974.
1977 *The Semantic of Metaphor*, Baltimore, John Hopkins University Press.

LICHTHEIM, G.
1970 *Lukács*, Barcelona, Grijalbo, 1972.

Literatura y educación (colectivo)
1974 Madrid, Castalia.

LÓPEZ ESTRADA, F.
1952 *Introducción a la literatura medieval española*, Madrid, Gredos.
1969 *Métrica española del siglo XX*, Madrid, Gredos.

LOTMAN, Y.
1970 *La Estructura del texto artístico*, Madrid, Istmo, 1980.
1973 «The content and structure of the concepto of *Literature*», *PTL*, I, 2, 1976, págs. 339-356.

LUKÁCS, G.
1923 *Historia y conciencia de clase*, México, Grijalbo, 1969.
1961 *Sociología de la literatura*, Barcelona, Península, 1968, 2.ª ed. Antología de Peter Ludz.
1963 *Estética*, Barcelona, Grijalbo, 1966, 4 vols.

LLORÉNS, V.
1974 *Aspectos sociales de la literatura española*, Madrid, Castalia.

MACHADO, A.
1912 «La tierra de Alvargonzález», en *Poesía*, Ed. M.ª del Pilar Palomo, Madrid, Narcea, 1975.

MAINER, J. C.
1972 *Literatura y pequeña burguesía en España*. Notas 1890-1950, Madrid, Edicusa.
1973 «Sociología de la literatura en España», en *Sistema*, 1, Madrid, páginas 69-80.
1975 *La Edad de Plata* (1902-1931), Barcelona, Los libros de la Frontera.

MALINOWSKI, B.
1923 «El Problema del significado en las lenguas primitivas», en C. K. Ogden, I. A. Richards, *El significado del significado*, Buenos Aires, Paidós, 1964, 2.ª ed., págs. 312-360.

MANTZ, H. F.
1917 «Types in Literature», *Modern Language Review*, XII.

MARAVALL, J. A.
1964 *El mundo social de la Celestina*, Madrid, Gredos.

MARCOS MARÍN, F.
1975 *Lingüística y lengua española*, Madrid, Cincel.
MARINER, S.
1967 «Carácter convencional del ritmo», en *Historia...*, págs. 89-96.
MARTÍN, J. L.
1973 *Crítica estilística*, Madrid, Gredos.
MARTÍNEZ CACHERO, J. M.
1973 *La novela española entre 1939 y 1969. Historia de una aventura*, Madrid, Castalia.
MARTÍNEZ GARCÍA, J. A.
1975 *Propiedades del lenguaje poético*, Oviedo, Universidad.
MIGNOLO, W.
1978 *Elementos para una teoría del texto literario*, Barcelona, Crítica.
MORRIS, Ch.
1946 *Signos, lenguaje, conducta*, Buenos Aires, Losada, 1962.
MOUNIN, G.
1967 «Les Fonctions du langage», *Word*, 23, págs. 396-413.

NÖTH, W.
1975 «Homeostasis and equilibrium in Linguistics and Text Analysis», *Semiótica*, XIV, 3, págs. 222-244.
NÚÑEZ LADEVEZE, L.
1974 *Crítica del discurso literario*, Madrid, Edicusa.
NÚÑEZ RAMOS, R.
1980 *Poética semiológica: «El Polifemo» de Góngora*, Oviedo, Universidad.

OLEZA, J.
1976 *Diacronía y sincronía: la dialéctica del discurso poético*, Valencia, Prometeo.

PEARSON, N. H.
1940 «Literary Forms and Types», *The English Institute Annual*, págs. 61-72.
PÉREZ GALDÓS, B.
1897 *El Abuelo* (novela), en *Novela y Miscelánea*, ed. de F. C. Sainz de Robles, Madrid, Aguilar, 1977, págs. 800-904.
1904 *El Abuelo* (teatro), en *Cuentos y teatro*, ed. de F. C. Sainz de Robles, Madrid, Aguilar, 1975, págs. 636-675.
PÉREZ GALLEGO, C.
1973 *Morfonovelística*, Madrid, Fundamentos.
1975 *Literatura y contexto social*, Madrid, S. G. E. L.
1978 *Sintaxis social*, Madrid, Fundamentos.
PÉREZ PRIEGO, M.
1978 «De Dante a Juan de Mena: Sobre el Género Literario de *Comedia*», 1616. *Anuario de la Sociedad Española de Literatura General y Comparada*, págs. 151-158.
PETÖFI, J. S.
1973 *Towards an empirically motivated grammatical theory of verbal texts*, Bielefelder Papiere zur Linguistik und Literatur.
1975 *Vers une théorie partielle du texte*, Hamburg, Helmut Busque.

PETÖFI, J. S.; GARCÍA BERRIO, A., *et alii*
1978 *Lingüística del texto y crítica literaria*, Madrid, Alberto Corazón.
PIZARRO, N.
1970 *Análisis estructural de la novela*, Madrid, siglo XXI.
PORQUERAS MAYO, A.
1967 «El "New Criticism" de Yvor Winters», en *Historia*..., págs. 57-63.
POZUELO YVANCOS, J. M.
1979 *El lenguaje poético de la lírica amorosa de Quevedo*, Universidad de Murcia.
PRATT, M. L.
1977 *Toward a speech act theory of literary discourse*, Bloomington, Indiana University Press.
PRIETO, A.
1972 *Ensayo semiológico de sistemas literarios*, Barcelona, Planeta.
1975 *Morfología de la novela*, Barcelona, Planeta.
Problemas y principios del estructuralismo lingüístico (colectivo)
1967 Madrid, C. S. I. C.

Que peut la Littérature? (colectivo)
1965 Paris, Unión Générale d'Editions.

RASTIER, F.
1972 «Sistemática de las isotopias», en A. J. Greimas (ed.), *Ensayos de Semiótica poética*, Barcelona, Ensayos/Planeta, 1976, págs. 107-140.
Recherches sémiologiques (colectivo)
1964 *Communications*, 4.
RIFFATERRE, M.
1971 *Essais de stylistique structurale*, Paris, Flammarion. Existe traducción castellana (Barcelona, Seix Barral, 1975).
RODRÍGUEZ, J. C.
1974 *Teoría e historia de las producciones ideológicas, I. Las primeras literaturas burguesas*, Madrid, Akal.
ROLDÁN, A.
1974 *Don Quijote: Del Triunfalismo a la Dialéctica*, Publicaciones de la Universidad de Murcia.
ROMERA CASTILLO, J.
1977 *El Comentario semiótico de textos*, Madrid, S. G. E. L., 1980, 2.ª ed.
ROZAS, J. M.
1976 *Significado y doctrina del Arte Nuevo de Lope de Vega*, Madrid, S.G.E.L.
RUTTKOWSKI, W. V.
1968 *Die literarische Gattungen*, Bern und München, Francke.
RYAN, M. L.
1979 «Toward a competence theory of genre», *Poetics*, VIII, 3, págs. 307-337.

SALVADOR, G.
1964a «Estructuralismo y poesía», en *Problemas*..., págs. 263-269.
1964b «Análisis connotativo de un soneto de Unamuno», *Archivum*, XIV, págs. 18-39.
SALVADOR MIGUEL, N.
1979 «*Mester de Clerecía*, marbete caracterizador de un género literario», *Revista de Literatura*, XLI, 82, págs. 5-30.

SANZ VILLANUEVA, S., y DÍEZ BORQUE, J. M.
1970 «Sociología del fenómeno literario», *Cuadernos para el Diálogo,* dic.
SARTRE, J. P.
1942 *¿Qué es literatura?,* Buenos Aires, Losada, 1969, 5.ª ed.
SASTRE, A.
1956 *Drama y sociedad,* Madrid, Taurus.
1965 *Anatomía del realismo,* Barcelona, Seix Barral, 1974.
1970 *La revolución y la crítica de la cultura,* Barcelona, Grijalbo.
SAUSSURE, F.
1915 *Curso de lingüística general,* Buenos Aires, Losada, 1961, 4.ª ed.
SCHMIDT, S. J.
1973 *Teoría del texto. Problemas de una lingüística de la comunicación verbal,* Madrid, Cátedra, 1977.
SCHMIDT, S. J. (hrg.)
1970 *Text, Bedeutung, Ästhetik,* München, Bayerischer Schulbuch.
SCHÜCKING, L. L.
1923 *Sociología del gusto literario,* México, F. C. E., 1969.
SEARLE, J. R.
1969 *Actos de habla,* Madrid, Cátedra, 1980.
SENABRE, R.
1967 «El influjo del público en la estructura de la obra literaria», en *Historia...,* págs. 19-28.
SILVA, V. M. AGUIAR E
1977 *Competência linguística e competência literária,* Coimbra, Almedina. (Existe trad. cast., Madrid, Gredos, 1980.)
SPANG, K.
1979 *Fundamentos de Retórica,* Pamplona, Eunsa.
SPITZER, L.
1942 «La interpretación lingüística de la obra literaria», en A. A. V. V., *Introducción a la Estilística romance,* Buenos Aires, Instituto de Filología, 2.ª ed.
1948 *Lingüística e historia literaria,* Madrid, Gredos, 1955.
STAIGER, E.
1946 *Conceptos fundamentales de Poética,* Madrid, Rialp, 1966.
STRELKA, J. P. (ed.)
1978 *Theorie of Literary Genre,* the Pennsylvania University Press.

TALÉNS, J., y otros
1978 *Elementos para una semiótica del texto artístico,* Madrid, Cátedra.
TIEGHEM, P. VAN
1938 «La Question des genres littéraires», *Helicon,* I, págs. 95-101.
TINIANOV, I.
1924 «Sobre la evolución literaria», en T. Todorov (compilador y traductor), *Teoría de la literatura. Textos de los formalistas rusos,* Buenos Aires, Signos, 1970.
TODOROV, T.
1967 *Literatura y significación,* Barcelona, Ensayos/Planeta, 1971.
1970 *Introduction a la littérature fantastique,* Paris, Seuil.
1973 *¿Qué es el estructuralismo? La Poética,* Buenos Aires, Losada, 1975.
1978 *Les genres du discours,* Paris, Seuil.

TOMASEVSKY, B.
1925 «Temática», en T. Todorov (compilador y traductor). *Teoría de la literatura. Textos de los formalistas rusos,* Buenos Aires, Signos, 1970, páginas 199-232.
TORDERA, A.
1978 *Teoría de los signos,* Valencia, Fernando Torres.
TRABANT, J.
1973 *Semiología de la obra literaria (Glosemática y teoría de la literatura),* Madrid, Gredos, 1976.
TRUBETZKOY, N. S.
1939 *Principios de fonología,* Madrid, Cincel, 1973.
TRUJILLO, R.
1976 *Elementos de semántica lingüística,* Madrid, Cátedra.

VALÉRY, P.
1938 «Première leçon du cours de Poétique», en *Oeuvres,* I, Paris, Gallimard, NRF. («Bibliothèque de la Pléiade»), 1957.
VALVERDE, J. M.
1952 *Estudios sobre la palabra poética,* Madrid, Rialp.
VERA LUJÁN, A.
1977 *Análisis semiológico de «Muertes de Perro»,* Madrid, Cupsa.
VIDAL BENEYTO, J. (comp.)
1981 *Problemas y límites del estructuralismo,* Madrid, Editora Nacional.
VIËTOR, K.
1931 «L'histoire des genres littéraires», *Poétique,* 32, 1977, págs. 490-506.
VOLPE, G. DELLA
1960 *Crítica del gusto,* Barcelona, Seix Barral, 1966.
VOSSLER, K.
1933 *Cultura y lengua de Francia. Historia de la lengua literaria francesa desde los comienzos hasta el presente,* Buenos Aires, Losada, 1955.

WEISSTEIN, U.
1975 *Introducción a la literatura comparada,* Barcelona, Planeta.
WELLEK, R., y WARREN, A.
1949 *Teoría de la literatura,* Madrid, Gredos, 1966.
WIMSATT, W. K., and BEARDSLEY, M. C.
1954 *The Verbal Icon,* University of Kentucky Press, 1954.
WUNDERLICH, D.
1969 «Unterrichten als Dialog», *Sprache in technischen Zeitalter,* 32, páginas 263-287.

YLLERA, A.
1974 *Estilística, poética y semiótica literaria,* Madrid, Alianza.
1979 «Les recherches sémiologiques en Espagne», en A. Helbo (ed.). *Le champ semiologique,* Bruxelles, Complexe, págs. 61-643.
YNDURÁIN, D.
1979 *Introducción a la Metodología literaria,* Madrid, S. G. E. L.
YNDURÁIN, F.
1967 «La novela desde la segunda persona», en *Historia...,* págs. 159-173.

Este libro se acabó de imprimir
en los Talleres de Imprenta Taravilla,
C/ Mesón de Paños, 6, Madrid-13,
el día 24 de diciembre de 1982.